崇文馆 家庭典藏

崇文国学经典普及文库

韩愈文

赵曜曜 木西◎注译

长江出版传媒
崇文书局

韩愈文

图书在版编目（CIP）数据

韩愈文 / 赵曜曜，木西注译 .
—武汉 ： 崇文书局，2017.1
（崇文国学经典普及文库）
ISBN 978-7-5403-4248-7
Ⅰ. ①韩…
Ⅱ. ①赵… ②木…
Ⅲ. ①古典散文－散文集－中国－唐代
Ⅳ. ① I264.23
中国版本图书馆 CIP 数据核字（2016）第 261877 号

出 品 人　潘启胜

统　　筹　陈中琼
责任编辑　陈中琼　李城湘
出版发行　长江出版传媒 | 崇文书局
地　　址　武汉市雄楚大街 268 号 C 座 11 层
电　　话　(027)87293001　邮政编码　430070
印　　刷　湖北恒泰印务有限公司
开　　本　889×1194　　1/32
印　　张　8
字　　数　180 千字
版　　次　2017 年 1 月第 1 版
印　　次　2017 年 1 月第 1 次印刷
定　　价　28.80 元
（如发现印装质量问题，影响阅读，请与承印厂调换）

总序

现代意义的“国学”概念，是在19世纪西学东渐的背景下，为了保存和弘扬中国优秀传统文化而提出来的。1935年，王缁尘在世界书局出版了《国学讲话》一书，第3页有这样一段说明：“庚子义和团一役以后，西洋势力益膨胀于中国，士人之研究西学者日益众，翻译西书者亦日益多，而哲学、伦理、政治诸说，皆异于旧有之学术。于是概称此种书籍曰‘新学’，而称固有之学术曰‘旧学’矣。另一方面，不屑以旧学之名称我固有之学术，于是有发行杂志，名之曰《国粹学报》，以与西来之学术相抗。‘国粹’之名随之而起。继则有识之士，以为中国固有之学术，未必尽为精粹也，于是将‘保存国粹’之称，改为‘整理国故’，研究此项学术者称为‘国故学’……”从“旧学”到“国故学”，再到“国学”，名称的改变意味着褒贬的不同，反映出身处内忧外患之中的近代诸多有识之士对中国优秀传统文化失落的忧思和希望民族振兴的宏大志愿。

从学术的角度看，国学的文献载体是经、史、子、集。崇文书局的这一套国学经典普及文库，就是从传统的经、史、子、集中精选出来的。属于经部的，如《诗经》《论语》《孟子》《周易》《大学》《中庸》《左传》；属于史部的，如《战国策》《史记》《三国志》《贞观政要》《资治通鉴》；属于子部的，如《道德经》《庄子》《孙子兵法》《鬼谷子》《世说新语》《颜氏家训》《容斋随笔》《本草纲目》《阅微草堂笔记》；属于集部的，如《楚辞》《唐诗三百首》《豪放词》《婉约词》《宋词三百首》《千家诗》《元曲三百首》《随园诗话》。这套书内容丰富，而分量适中。一个希望对中国优秀传统文化有所了解的人，读了这些书，一般说来，犯常识性错误的可能性就很小了。

崇文书局之所以出版这套国学经典普及文库，不只是为了普及国学常识，更重要的目的是，希望有助于国民素质的提高。在国学教育中，有一种倾向需要警惕，即把中国优秀的传统文化“博物馆化”。“博物馆化”是20世纪中叶美国学者列文森在《儒教中国及其现代命运》中提出的一个术语。列文森认为，中国传统文化在很多方面已经被博物馆化了。虽然中国传统的经典依然有人阅读，但这已不属于他们了。“不属于他们”的意思是说，这些东西没有生命力，在社会上没有起到提升我们生活品格的作用。很多人阅读古代经典，就像参观埃及文物一样。考古发掘出来的珍贵文物，和我们的生命没有多大的关系，和我们的生活没有多大关系，这就叫作博物馆化。“博物馆化”的国学经典是没有现实生命力的。要让国学经典恢复生命力，有效的方法是使之成为生活的一部分。崇文书局之所以强调普及，深意在此，期待读者在阅读这些经典时，努力用经典来指导自己的内外生活，努力做一个有高尚的人格境界的人。

国学经典的普及，既是当下国民教育的需要，也是中华民族健康发展的需要。章太炎曾指出，了解本民族文化的过程就是一个接受爱国主义教育的过程："仆以为民族主义如稼穑然，要以史籍所载人物制度、地理风俗之类为之灌溉，则蔚然以兴矣。不然，徒知主义之可贵，而不知民族之可爱，吾恐其渐就萎黄也。"(《答铁铮》)优秀的传统文化中，那些与维护民族的生存、发展和社会进步密切相关的思想、感情，构成了一个民族的核心价值观。我们经常表彰"中国的脊梁"，一个毋庸置疑的事实是，近代以前，"中国的脊梁"都是在传统的国学经典的熏陶下成长起来的。所以，读崇文书局的这一套国学经典普及读本，虽然不必正襟危坐，也不必总是花大块的时间，更不必像备考那样一字一句锱铢必较，但保持一种敬重的心态是完全必要的。

期待读者诸君喜欢这套书，期待读者诸君与这套书成为形影相随的朋友。

陈文新

（教育部长江学者特聘教授，武汉大学杰出教授）

前言

韩愈，字退之，生于唐代宗大历三年（768），河内河阳（今河南孟州）人。因其自称“郡望昌黎”，故而世称“韩昌黎”或“昌黎先生”。韩愈于唐德宗贞元八年（792）登进士第，官至吏部侍郎，因而又称“韩吏部”。唐穆宗长庆四年（824），病卒于长安靖安里，赠礼部尚书，谥号曰“文”。韩愈是唐代杰出的文学家、思想家，亦是“古文运动”的倡导者，被后人推崇为“唐宋八大家”之首，与柳宗元并称“韩柳”。

经历了唐初一百余年的繁荣、稳定直至唐玄宗在位前期，唐朝的国势到达鼎盛。然而，从天宝十四载（755）爆发“安史之乱”开始，唐朝的发展迅速转入下行，此前所积累的社会矛盾骤然呈现在世人面前，弊政丛生，后续几代国君欲振作而不得。在国势日颓的情境下，思想领域的阵地也被佛、老等学说占据。重建上承尧舜、下至孔孟的道统体系，成为韩愈人生追求的方向。即使因为迎佛骨事件，“一封朝奏九重天，夕贬潮州路八千”，韩愈也从未放弃以儒家道统的继承者自居。

韩愈在思想上推崇儒家，力排佛老。在文学上则提倡“务去陈言”的散体古文，反对骈四俪六的六朝文风，引导开启了对后世影响巨大的中唐“古文运动”，深刻地改变了文坛的面貌。苏轼在《潮州韩文公庙碑》中称赞韩愈“起布衣，谈笑而麾之，天下靡然从公，复归于正，盖三百年于此矣。文起八代之衰，而道济天下之溺，忠犯人主之怒，而勇夺三军之帅”，诚不虚也。

韩愈的文集是在韩愈去世后，由其门人兼女婿李汉所辑，包括赋、古诗、联句、律诗、杂著、书、启、序、哀辞、祭文、碑志、表、状等并目录共四十一卷，以《昌黎先生集》之名传于世。宋以前，有令狐澄本、保大本、赵德文录本；宋以后，有杭州明教寺刊本、嘉祐蜀本、嘉祐刊小字杭本、阁本、明嘉靖游居敬校刻本、欧阳景辑本、清康熙琴川书屋本、以及宣统石印本等。由于韩愈的特殊地位，历代注、释韩文者众多，其中较著者有蒋之翘《唐韩昌黎集辑注》、沈钦韩《韩集补注》、高澍然《韩文故》等。今人马其昶亦有《韩昌黎文集校注》等作，可称繁富。

本编所选韩文，包含了杂著（十七篇）、书（七篇）、序（十篇）、哀辞祭文（五篇）、碑志（三篇）、杂文（三篇）、表状（两篇）等四十七篇。所选不多，却也是各体皆备，作为国学普及读物甚佳。全书各篇均有题解、注释和译文，限于注译者的学识，又恐时间仓促，或有失当之处，敬请方家指正。

杂 著

书

序

哀辞祭文

碑　志

杂　文

表　状

杂著

【题解】

本文选自《昌黎先生集》卷十一，与《原性》《原毁》《原人》《原鬼》合称“五原”，是韩愈儒学思想的纲领性表述。文中阐明了儒与佛、老的区别，竭力弘扬了复兴古道、尊崇儒学的宗旨，为儒家建立起一个上承尧舜、下至孔孟的道统体系，表彰了历代圣人及其所开创的儒道在历史发展中的丰功伟绩。

原 道[1]

【原文】

博爱之谓仁，行而宜之之谓义[2]，由是而之焉之谓道，足乎己无待于外之谓德[3]。仁与义为定名，道与德为虚位，故道有君子小人，而德有凶有吉。老子之小仁义[4]，非毁之也，其见者小也。坐井而观天，曰“天小”者，非天小也。彼以煦煦为仁[5]，孑孑为义[6]，其小之也则宜。其所谓道，道其所道，非吾所谓道也；其所谓德，德其所德，非吾所谓德也。凡吾所谓道德云者，合仁与义言之也，天下之公言也；老子之所谓道德云者，去仁与义言之也，一人之私言也。

周道衰，孔子没[7]，火于秦[8]，黄老于汉[9]，佛于晋魏梁隋之间。其言道德仁义者，不入于杨，则入于墨[10]；不入于老，则入于佛。入于彼，必出于此。入者主之，出者奴之；入者附之，出者污之。噫！后之人其欲闻仁义道德之

说，孰从而听之？老者曰[11]："孔子，吾师之弟子也。"佛者曰："孔子，吾师之弟子也。"为孔子者，习闻其说，乐其诞而自小也，亦曰"吾师亦尝师之"云尔。不惟举之于其口，而又笔之于其书。噫！后之人虽欲闻仁义道德之说，其孰从而求之？甚矣，人之好怪也！不求其端，不讯其末，惟怪之欲闻。

古之为民者四，今之为民者六[12]；古之教者处其一，今之教者处其三。农之家一，而食粟之家六；工之家一，而用器之家六；贾之家一，而资焉之家六；奈之何民不穷且盗也！

古之时，人之害多矣，有圣人者立，然后教之以相生养之道。为之君，为之师，驱其虫蛇禽兽而处之中土。寒，然后为之衣；饥，然后为之食。木处而颠，土处而病也，然后为之宫室。为之工，以赡其器用[13]；为之贾，以通其有无；为之医药，以济其夭死；为之葬埋祭祀，以长其恩爱；为之礼，以次其先后；为之乐，以宣其壹郁[14]；为之政，以率其怠倦；为之刑，以锄其强梗。相欺也，为之符玺、斗斛、权衡以信之[15]；相夺也，为之城郭、甲兵以守之。害至而为之备，患生而为之防。今其言曰："圣人不死，大盗不止，剖斗折衡，而民不争。[16]"呜呼！其亦不思而已矣！如古之无圣人，人之类灭久矣，何也？无羽毛鳞介以居寒热也，无爪牙以争食也。是故：君者，出令者也；臣者，行君之令而致之民者也；民者，出粟米麻丝、作器皿、通货财以事其上者也。君不出令，则失其所以为君；臣不行君之令而致之民，民不出粟米麻丝、作器皿、通货财以事其上，则诛。今其法曰[17]:“必弃而君臣,去而父子,禁而相生养之道,以求其所谓清净寂灭者[18]。”呜呼!其亦幸而出于三代之后[19],不见黜于禹汤文武周公孔子也!其亦不幸而不出于三代之前,不见正于禹汤文武周公孔子也!

帝之与王[20],其号名虽殊,其所以为圣一也。夏葛而冬裘,渴饮而饥食,其事虽殊,其所以为智一也。今其言曰[21]:“曷不为太古之无事?”是亦责冬之裘者曰:曷不为葛之之易也?责饥之食者曰:曷不为饮之之易也?《传》曰[22]:“古之欲明明德于天下者,先治其国;欲治其国者,先齐其家;欲齐其家者,先修其身;欲修其身者,先正其心;欲正其心者,先诚其意。”然则古之所谓正心而诚意者,将以有为也。今也欲治其心,而外天下国家,灭其天常[23],子焉而不父其父,臣焉而不君其君,民焉而不事其事。孔子之作《春秋》也,诸侯用夷礼[24],则夷之;进于中国[25],则中国之。《经》曰:“夷狄之有君,不如诸夏之亡。[26]”《诗》曰:“戎狄是膺,荆舒是惩[27]。”今也举夷狄之法,而加之先王之教之上,几何其不胥而为夷也[28]!

夫所谓先王之教者何也?博爱之谓仁,行而宜之之谓义,由是而之焉之谓道,足乎己无待于外之谓德。其文《诗》《书》《易》《春秋》,其法礼乐刑政,其民士农工贾,其位君臣、父子、师友、宾主、昆弟、夫妇,其服麻丝,其居宫室,其食粟米果蔬鱼肉:其为道易明,其为教易行也。是故以之为己,则顺而祥;以之为人,则爱而公;以之为心,则和而平;以之为天下国家,无所处而不当。是故生则得其情[29],死则尽其常[30],郊焉而天神假[31],庙焉而人鬼飨[32]。

曰:斯道也,何道也?曰:斯吾所谓道也,非向所谓老与佛之道也。尧以是传之舜,舜以是传之禹,禹以是传之汤,汤以是传之文武周公,文武周公传之孔子,孔子传之孟轲,轲之死,不得其传焉。荀与扬也[33],择焉而不精,语焉而不详,由周公而上,上而为君,故其事行;由周公而下,下而为臣,故其说长。

然则如之何而可也?曰:不塞不流,不止不行。人其人,火其书,庐其居,明先王之道以道之[34],鳏寡孤独废疾者有养也[35],其亦庶乎其可也。

【注释】

①原道:探求道的本原。原,动词,探讨,推究。

②宜:合宜。《礼记·中庸》:"义者,宜也。"

③无待于外:不依赖外物。待,依赖,依靠。

④小:动词,小看,轻视。

⑤煦煦:和颜悦色的样子。这里指小恩小惠。

⑥孑孑:谨小慎微的样子。

⑦没:通"殁",死。

⑧火于秦:指秦始皇焚毁儒家典籍之事。

⑨黄老:黄帝和老子。道家推崇黄帝和老子,"黄老"是道家的别称。

⑩不入于杨,则入于墨:不是归附杨朱之学,就是归附墨翟之学。杨,杨朱,字子居,战国时期哲学家、思想家,道家杨朱学派的创始人,主张"为我""贵己""贵生"等。墨,墨子,名翟,战国时期著名的思想家、教育家、军事家,墨家学派的创始人,主张"兼爱""非攻""节用"等。《孟子·滕文公下》:"杨朱、墨翟之言盈天下。天下之言不

归杨则归墨。”

⑪老者:崇信道家的人。

⑫古之为民者四,今之为民者六:古时候的民众有四类,如今的民众有六类。“四民”指士、农、工、商,加上佛、老即“六民”。

⑬赡:供应,满足所需。

⑭壹郁:或作“湮郁”,郁积在心中的烦闷。

⑮符玺:印信,秦以后特指皇帝的印信。斗斛(hú):古时候十升为斗,十斗为斛,这里泛指各种量器。权衡:称量物体重量的器具。

⑯“今其言曰”五句:其,道家。“圣人”四句,语出《庄子·胠箧》。《老子·十九章》也有“绝圣弃智,民利百倍;绝仁弃义,民复孝慈;绝巧弃利,盗贼无有”的说法。

⑰其:此指佛家。

⑱寂灭:指佛家的涅槃之说。

⑲三代:指夏、商、周三个朝代。

⑳帝之与王:五帝与三王。“五帝”指黄帝、颛顼、帝喾、尧、舜,“三王”指夏禹、商汤、周文王和武王(通常合称)。

㉑其:此指道家。

㉒《传》:后文语出《礼记·大学》,这里的“《传》”指《礼记》。

㉓天常:天理人伦,韩愈尊儒家道统为天常。

㉔夷:夷狄,这里泛指四方的少数民族。

㉕中国:指我国中原地区华夏族建立的政权。

㉖“《经》曰”三句:经,这里指《论语》。“夷狄”二句,语出《论语·八佾》。亡,无,没有。

㉗“戎狄”二句:语出《诗经·鲁颂·闷宫》。膺,抗击,抵抗。荆舒,古代指东南地区的少数民族。

㉘胥：都，全。

㉙得其情：合乎情理，这里指享受人伦之情。

㉚尽其常：指终其天年。

㉛郊：古代皇帝每年冬至在南郊祭天。假：通“格”，至，降临。

㉜庙：祭祖。飨：通“享”，享用。

㉝荀：荀卿，名况，战国时期著名思想家、文学家、政论家。扬：扬雄，字子云，西汉辞赋家、思想家。

㉞道：后一“道”字，后作“导”，教导，引导。

㉟鳏(guān)寡孤独：老而无妻曰“鳏”，老而无夫曰“寡”，幼而无父曰“孤”，老而无子曰“独”。

【译文】

爱众人叫作仁，合宜于仁的行为叫作义，沿着仁义的方向而达到的叫作道，用仁义来充实自己而不依赖外物叫作德。仁和义是有具体内容的名称，道和德则是抽象的形态。所以道有君子之道与小人之道，德有恶德与美德。老子轻视仁义，并非诋毁仁义，是由于他观念的狭隘。正如一个人坐在井里看天，说天很小，其实天并非真的小。老子把小恩小惠当作仁，把谨小慎微当作义，他轻视仁义就是自然而然的了。老子所说的道，是把他观念里的道当作道，不是我所说的道。他所说的德，是把他观念里的德当作德，不是我所说的德。凡是我所说的道和德，是结合仁和义来说的，是天下的公论。老子所说的道和德，是抛开了仁和义来说的，只是他的一家之言。

自从周朝王道衰微，孔子离世后，秦始皇焚毁儒家典籍，汉朝推崇黄老学说，晋、魏、梁、隋之际佛教盛行。那时谈论仁义道德的人，不是归附杨朱之学，就是归附墨翟之学；不是归附道家，就是归附佛家。一旦归入一方，就必定排斥另一方。崇信所归附的学说，排斥所贬低的学说；依从所归附的学说，污蔑所背离的学说。唉！后世的人如果想听听仁义道德之说，应该听从谁呢？崇信道家的人说："孔子是我们老师的学生。"崇信佛家的人说："孔子是我们老师的学生。"信奉孔子学说的人，听惯了这些话，乐于接受他们的荒诞言论从而贬低自己，也附和着说"我们的老师曾向佛老学习"这样的话。不仅在嘴里说说，还把它记载到了书上。唉！后世的人即使想要了解仁义道德之说，又该向谁求教呢？人们喜欢怪诞言论的问题实在是太严重了！他们不探寻事物的本源，不考察事物的结果，只想听怪诞的言论。

古时候的民众有四类，如今的民众有六类。古时候负责教化的人只占其中之一，如今负责教化的人占其中之三。如今务农的只有一家，吃粮食的却有六家；从事手工业的只有一家，使用器具的却有六家；做生意的只有一家，依赖他们供应货物的却有六家。怎么能不使百姓贫困而去偷盗呢？

远古的时候，百姓遭受的灾害很多。有圣人出现，这才把共同生活、互相扶持的方法教给他们。圣人充当他们的君主或老师，驱赶虫蛇禽兽，把他们安顿在中原地区。冷了就教他们做衣服，饿了就教他们种庄稼。睡在树上容易掉下来，住在洞穴里容易生病，于是就教他们建造房屋。教导他们做工劳动，以供应日常所需的器具；教给他们经商的方法，以便协调货物的生产和需求的关系；发明医药来挽救生命，以帮助他们免于因病早死；制定埋葬祭祀的礼仪，以增进人与人之间的情感；制定礼节，以区分长幼尊卑的秩序；创造音乐，以排解人们心中的烦闷；制定政令，以督促倦怠懒惰的人；设立刑罚，以铲除骄横跋扈的不法之徒。为了防止相互欺诈，就制作符印、斗斛、秤等作为凭信；为了防止相互掠夺，就修筑城墙、训练甲兵来进行防御。总之，灾害到来之前就事先做好准备，祸患发生之前就要提前预防。现在道家却说：“倘若圣人不死，大盗就不会终止。如果打破斗斛、折断秤杆，百姓就不会相争。”唉！说这种话的人只是没有好好思考罢了！如果古时候没有圣人，那么人类早就灭亡了。为什么呢？因为人类没有羽毛鳞甲来抵御严寒酷暑，没有尖牙利齿来争夺食物。所以才说，君王是发布政令的；臣子是执行法令并推行给百姓的；百姓是生产粮食、麻丝，制作器具，流通财宝货物以侍奉统治者的。君主不发号施令，就舍弃了做君主的权力和责任；臣子不执行君主的命令并下达至百姓，百姓不生产粮食、麻丝，制作器具，流通财宝货物以侍奉统治者，就要受到惩处。现在佛家却说：“必须抛弃君臣之义，断离父子人伦，禁绝共同生活、互相扶持的方法，以此来求得所谓的清净寂灭。”唉！他们侥幸出生在夏、商、周之后，没有被夏禹、商汤、周文王、周武王、周公、孔子等圣人所贬斥；他们又不幸未出生在夏、商、周之前，没有得到夏禹、商汤、周文王、周武王、周公、孔子等圣人的匡正。

五帝与三王，他们的名号虽然不同，但他们能成为圣人的缘由却是相同的。夏季穿葛衣，冬季穿皮裘，渴了就喝水，饿了就吃饭，这些事情虽然各不相同，但作为人类的智慧来说却是相同的。如今道家却说：“为什么不实行上古的无为而治呢？”这就好像责备冬天穿皮裘的人：“你为什么不穿葛衣，那多简单！”或是责备饿了就吃饭的人：“你为什么不只喝水，那多方便！”《礼记·大学》说：“古时候想在天下彰明德行的人，先要治理好国家；想治理好国家的人，先要整顿好家庭；想整顿好家庭的人，先要修养身心；想修养身心的人，先要端正思想；想端正思想的人，先要意念诚实。”如此，古人所谓的思想端正、意念诚实，都是想要因此而有所作为。如今那些想要修身养性的人，却想摒弃天下国家，灭绝天理人伦，做儿子的不把父亲当作父亲，做臣子的不把君主当作君主，做百姓的不做分内之事。孔子撰写《春秋》时，将采用夷狄礼俗的诸侯视为夷狄，将采用中原礼俗的诸侯视为中原国家。《论语》说："夷狄虽有君主，还不如中原各诸侯国没有君主。"《诗经》说："戎狄应该抗击，荆舒应该惩治。"如今却崇尚夷狄的礼法，使它凌驾于先王的政教之上，这样岂不是我们全都要沦为夷狄了？

所谓先王的政教究竟是什么呢？就是爱众人叫作仁，合宜于仁的行为叫作义，沿着仁义的方向而达到的叫作道，用仁义来充实自己而不依赖外物叫作德。记载先王政教的经典文献是《诗经》《尚书》《周易》《春秋》；体现先王政教的是礼仪、音乐、刑罚、政治；先王治理的民众是士人、农民、工匠、商人；先王规定的人伦关系是君臣、父子、师友、宾主、兄弟、夫妇；先王确定的衣料是麻布、丝绸；先王确定的居所是房屋；先王确定的食物是粮食、瓜果、蔬菜、鱼肉。这些作为道理是容易理解的，作为教化是容易施行的。因此，用它来修身，就能和顺而吉祥；用它来待人，就能仁爱而公正；用它来养性，就能平和而宁静；用它来治理天下国家，就没有不恰当的地方。因此，遵从先王之道，活着的时候能够享受人伦之情，去世则能终其天年。祭天能使天神降临，祭祖能使祖先享用。有人问："这种道究竟是什么道？"我说："这是我所说的道，不是前面所说的道家和佛家的道。唐尧把它传给虞舜，虞舜把它传给夏禹，夏禹把它传给商汤，商汤把它传给周文王、周武王和周公，周文王、周武王和周公把它传给孔子，孔子把它传给孟轲，孟轲死后，没有可以继承这种道的人。荀况和扬雄在继承这种道时，有所选择却不精粹，有所阐说却不详细。从周公以上，继承道的都是居上位做君主的，所以儒道能顺利推行；从周公以下，继承道的都是居下位做臣子的，因此仁义之说能长久流传。”

既然如此，采取什么措施可以让儒道传播呢？我认为：“不阻塞佛老之说，儒道就不能流传。不禁止佛老之说，儒道就不能推行。必须勒令僧人、道士还俗为民，烧毁佛经、道书，把寺庙和道观改建成民用的房屋庐舍，阐明先王之道以教导民众，使鳏夫、寡妇、孤儿、老人、残疾人和病人都得到养育。这样做就差不多可以了吧！”

【题解】

本文选自《昌黎先生集》卷十一，是“五原”中的第二篇。该篇是韩愈为申述儒家性情论以对抗佛教心性论而作的，表明了尊儒、排辟佛老的最终立场。韩愈以人性论为武器，以性情三品说为基论，提出了对人性问题的深沉思考，也构建了其以儒学思想为基础的性情观。

原性

【原文】

性也者，与生俱生也；情也者，接于物而生也。性之品有三，而其所以为性者五；情之品有三，而其所以为情者七。曰：何也？曰：性之品有上中下三。上焉者，善焉而已矣；中焉者，可导而上下也；下焉者，恶焉而已矣。其所以为性者五：曰仁，曰礼，曰信，曰义，曰智[①]。上焉者之于五也，主于一而行于四[②]；中焉者之于五也，一不少有焉，则少反焉，其于四也混[③]；下焉者之于五也，反于一而悖于四[④]。性之于情视其品。情之品有上中下三。其所以为情者七：曰喜，曰怒，曰哀，曰惧，曰爱，曰恶，曰欲[⑤]。上焉者之于七也，动而处其中；中焉者之于七也，有所甚[⑥]，有所亡[⑦]，然而求合其中者也；下焉者之于七也，亡与甚，直情而行者也[⑧]。情之于性视其品。

孟子之言性曰：“人之性善[⑨]。”荀子之言性曰：“人之性恶[⑩]。”扬子之言性曰：“人之性善恶混[⑪]。”夫始善而进

恶，与始恶而进善，与始也混而今也善恶，皆举其中而遗其上下者也[12]，得其一而失其二者也[13]。叔鱼之生也[14]，其母视之，知其必以贿死；杨食我之生也[15]，叔向之母闻其号也，知必灭其宗；越椒之生也[16]，子文以为大戚，知若敖氏之鬼不食也。人之性果善乎？后稷之生也[17]，其母无灾，其始匍匐也，则岐岐然，嶷嶷然[18]；文王之在母也，母不忧，既生也，傅不勤，既学也，师不烦[19]。人之性果恶乎？尧之朱[20]，舜之均[21]，文王之管蔡[22]，习非不善也，而卒为奸；瞽叟之舜[23]，鲧之禹[24]，习非不恶也，而卒为圣。人之性善恶果混乎？故曰：三子之言性也，举其中而遗其上下者也，得其一而失其二者也。

曰：然则性之上下者，其终不可移乎？曰：上之性就学而愈明，下之性畏威而寡罪，是故上者可教，而下者可制也。其品则孔子谓不移也。曰：今之言性者异于此，何也？曰：今之言者，杂佛老而言也，杂佛老而言也者，奚言而不异！

【注释】

①曰仁，曰礼，曰信，曰义，曰智：孔子提出“仁、义、礼”，《礼记·中庸》：“仁者，人也，亲亲为大；义者，宜也，尊贤为大；亲亲之杀，尊贤之等，礼所生也。”孟子延伸为“仁、义、礼、智”，《孟子·告子上》：“恻隐之心，仁也；羞恶之心，义也；恭敬之心，礼也；是非之心，智也。”董仲舒扩充为“仁、义、礼、智、信”，《举贤良对策》：“夫仁、谊、礼、知、信五常之道，王者所当修饬也。”儒家的“五常”之说贯穿于中国伦理价值体系的发展过程中，是中华民族传统美德的基本

要义。

②主于一而行于四：以仁为主导，同时贯通其他四德。一，指“仁”。四，指“礼、信、义、智”四德。

③混：混杂不纯。

④悖：背离，违背。

⑤曰喜，曰怒，曰哀，曰惧，曰爱，曰恶，曰欲：儒家“七情”。《三字经》：“曰喜怒，曰哀惧。爱恶欲，七情具。”

⑥甚：超出一般，过度。

⑦亡：缺失，丢失。

⑧直情而行：率性而为，不加节制。

⑨人之性善：语出《孟子·告子上》：“人性之善也，犹水之就下也。人无有不善，水无有不下。”孟子主张“性善论”。

⑩人之性恶：语出《荀子·性恶篇》：“人之性恶，其善者伪也。”荀子主张“性恶论”。

⑪人之性善恶混：西汉扬雄主张人性有善有恶，发展善的一面就成为善人，发展恶的一面就成为恶人。该观点继承和发展了孔子的“性相近也，习相远也”（《论语·阳货》）的思想。

⑫举其中而遗其上下者也：指扬雄的主张。

⑬得其一而失其二者也：指孟子、荀子的主张。

⑭叔鱼：羊舌鲋（fǔ），名鲋，也称叔鲋，字叔鱼，春秋时期晋国贵族。作为执法大夫，他不仅没有以身护法，反而因贪枉法，被定罪为“墨”。他是中国有史书记载以来，第一个因为贪污而受到惩罚的官员。

⑮杨食我：叔向的儿子伯石，字食我。伯石刚出生时，祖母前去探望时听闻他的哭声，说：“是豺狼之声也，狼子野心，非是，莫丧羊舌氏

矣！”(《左传·昭公二十八年》)于是不肯相见。后来，伯石因帮助祁盈作乱被杀，晋公下令灭祁、羊舌两家。

⑯越椒：楚国国君若敖熊仪之后，别姓斗氏，父亲为楚国司马子良。越椒出生时，子良的哥哥子文说：“必杀之！是子也，熊虎之状，而豺狼之声；弗杀，必灭若敖氏矣。”(《左传·宣公四年》)子良没有听从。后越椒叛乱，楚王灭若敖氏。

⑰后稷：周始祖，姬姓，黄帝玄孙，帝喾嫡长子。传说姜嫄踏巨人足迹后怀孕生下他，曾打算弃而不养，故名“弃”。

⑱“其始”三句：语出《诗经·大雅·生民》：“诞实匍匐，克岐克嶷(nì)。”后常用“岐嶷”形容幼年聪慧。

⑲“文王”六句：此处引用文王典故，事见《国语》。

⑳朱：尧的儿子丹朱。

㉑均：舜的儿子商均。

㉒管蔡：周文王之子、周武王之弟管叔鲜和蔡叔度。周武王驾崩后，周公旦辅佐成王即位。管蔡作乱，周公奉命讨伐，诛杀管叔鲜，放逐蔡叔度，平定祸乱。

㉓瞽(gǔ)叟：舜的父亲，妫(guī)姓，因双目失明故称“瞽叟”，生性愚顽，对舜不满，屡次和儿子象一起谋害舜。

㉔鲧(gǔn)：大禹的父亲，相传因治水失败被诛。

【译文】

人的本性，是与生俱来的；人的感情，是在待人接物的过程中自然产生的。性的品级有三等，构成性的要素有五项；情的品级有三等，构成情的要素有七项。有人问：“都是些什么呀？”我回答说：“人性的品级有上、中、下三等。上等的，生来性善罢了；中等的，可以经由引导使之升为上等或降为下等；下等的，生来性恶罢了。构成性的五个方面是：仁、礼、信、义、智五德。上等人性对于上述五德，以仁为主导，同时贯通其他四德；中等人性对于上述五德，仁不是稍微具备一点就是稍微违背一点，其余四德也混杂不纯；下等人性对于上述五德，违反了仁而且背离了礼、信、义、智。性对于情的影响，要看性的品级如何。情的品级也有上、中、下三等。体现情的形态有七种：喜、怒、哀、惧、爱、恶、欲。上等的情在这七个方面，情感的发动流露都能适得其中、恰到好处；中等的情在这七个方面，有时过度、有时缺失，但依然力求达到合情合理；下等的情在这七个方面，要么过分、要么不及，任情而行不加节制。情对于性的影响，也要看情的品级如何。”

孟子谈论人性时说：“人性本善。”荀子谈论人性时说：“人性本恶。”扬雄谈论人性时说：“人的本性善恶混杂。”那些主张人性原本善后来演进为恶，和主张人性原本恶后来演变为善，以及主张人性原本善恶混杂后来才分出善、恶的说法，都是只提出了性的中品而遗漏了上、下二品，或得到了其中一品却丢失了其他二品。叔鱼出生时，他的母亲观察他的面容，就知道他将来必定因受贿而死；杨食我出生时，叔向的母亲听到哭声，就知道他必定会因获罪而连累宗族覆灭；越椒出生时，他的伯父子文非常忧愁，知道若敖氏的祖先必定不再享有祭祀。由此看来，人性果真是善的吗？后稷出生时，他的母亲没有遭受灾殃，刚会爬行时，就表现得聪颖早慧。周文王在母亲腹中时，不曾让母亲担忧，出生后，不曾令王傅操劳，从师学习时，不惹老师烦恼。由此看来，人性果真是恶的吗？帝尧的儿子丹朱，舜的儿子商均，文王的儿子管叔鲜、蔡叔度，他们接触的环境不能说不好，但最终却沦为奸恶之人；瞽叟的儿子舜，鲧的儿子禹，他们接触的环境不能说不坏，但最终却成为圣人。由此看来，人性果真是善恶混杂吗？所以说，孟子、荀子、扬雄三家谈论人性，都只提及了中品而遗漏了上品和下品，或得到其中一个方面却失掉了另外两个方面。

有人问："既然如此，那么上等品性和下等品性，最终都不可改变吗?"我回答说："上等品性的人，通过学习就会愈发圣明；下等品性的人，惧怕刑罚之威而少犯过错。所以，上等品性的人可以教导，下等品性的人可以约束。但这两种品级正如孔子所说，是不可改变的。"有人问："如今谈论人性的人，观点与此不同，原因何在呢?"我回答说："今人的观点，都杂糅了佛老思想而谈论人性；混杂了佛老思想讲人性，怎能与我讲的没有差异呢?"

【题解】

本文选自《昌黎先生集》卷十一，是“五原”中的第三篇。这是一篇针砭时弊的文章，韩愈以儒家的道统观为依据，比较了古今君子待己、待人两种迥然不同的情态。韩愈在文中肯定了古之君子立身处世的可贵精神，谴责了毁谤滋生、嫉贤妒能、互相倾轧的恶劣士风，进而剖析了形成这种风气的本源在于“忌”和“怠”，并指出要将根绝毁谤提高到治国安邦的高度来认识。

原　毁

【原文】

古之君子[①]，其责己也重以周，其待人也轻以约[②]。重以周，故不怠；轻以约，故人乐为善。闻古之人有舜者，其为人也，仁义人也。求其所以为舜者，责于己曰：“彼人也，予人也，彼能是，而我乃不能是[③]！”早夜以思，去其不如舜者，就其如舜者。闻古之人有周公者[④]，其为人也，多才与艺人也。求其所以为周公者，责于己曰：“彼人也，予人也，彼能是，而我乃不能是！”早夜以思，去其不如周公者，就其如周公者。舜，大圣人也，后世无及焉；周公，大圣人也，后世无及焉。是人也[⑤]，乃曰：“不如舜，不如周公，吾之病也[⑥]。”是不亦责于身者重以周乎[⑦]！其于人也，曰：“彼人也，能有是，是足为良人矣[⑧]；能善是，是足为艺人矣[⑨]。”取其一，不责其二；即其新，不究其旧，恐恐

然惟惧其人之不得为善之利[10]。一善易修也，一艺易能也，其于人也，乃曰："能有是，是亦足矣。"曰："能善是，是亦足矣。"不亦待于人者轻以约乎！

今之君子则不然，其责人也详[11]，其待己也廉[12]。详，故人难于为善；廉，故自取也少。己未有善，曰："我善是，是亦足矣。"己未有能，曰："我能是，是亦足矣。"外以欺于人，内以欺于心，未少有得而止矣[13]，不亦待其身者已廉乎[14]！其于人也，曰："彼虽能是，其人不足称也；彼虽善是，其用不足称也[15]。"举其一，不计其十；究其旧，不图其新，恐恐然惟惧其人之有闻也[16]。是不亦责于人者已详乎！夫是之谓不以众人待其身[17]，而以圣人望于人[18]，吾未见其尊己也！

虽然[19]，为是者，有本有原，怠与忌之谓也。怠者不能修[20]，而忌者畏人修。吾尝试之矣，尝试语于众曰[21]："某良士，某良士。"其应者[22]，必其人之与也[23]；不然，则其所疏远不与同其利者也；不然，则其畏也[24]。不若是，强者必怒于言，懦者必怒于色矣。又尝语于众曰："某非良士，某非良士。"其不应者，必其人之与也；不然，则其所疏远不与同其利者也；不然，则其畏也。不若是，强者必说于言[25]，懦者必说于色矣。是故事修而谤兴[26]，德高而毁来。呜呼！士之处此世而望名誉之光，道德之行，难已[27]！

将有作于上者，得吾说而存之，其国家可几而理欤[28]！

【注释】

①君子:古代指有道德修养的人。

②其责己也重以周,其待人也轻以约:语出《论语·卫灵公》:“躬自厚而薄责于人,则远怨矣。”责,要求。重,严格。周,全面。轻,宽容。约,简约。

③乃:却,竟然。

④周公:姓姬名旦,周文王之子,周武王之弟,周成王之叔。西周初期杰出的政治家、军事家、思想家、教育家,因其采邑在周,爵为上公,故称周公。

⑤是人:指古时候的君子。

⑥病:缺点,瑕疵。

⑦身:或作“己”。

⑧良人:善良的人。

⑨艺人:有才能的人。

⑩恐恐然:惶恐的样子。

⑪详:全面,周到。

⑫廉:少。这里指要求低。

⑬少:稍微。

⑭已:太,甚。

⑮用:作用。这里指才能。

⑯闻(wèn):声誉,声望。

⑰众人:常人,一般人。

⑱望:期望,苛求。

⑲虽然:虽然这样,尽管如此。

⑳修:提高修养。

㉑语(yù):告诉。

㉒应:响应,附和。

㉓与:朋友。

㉔畏:畏惧他的人。

㉕说:通“悦”,喜悦,高兴。下句“说”同此。

㉖修:美好,善。

㉗已:或作“矣”。

㉘几:庶几,差不多。

【译文】

古时候的君子,他们要求自己严格而全面,对待别人宽容而简约。自身要求严格而全面,为人行事就不会懈怠;对别人宽容而简约,人们就乐于做好事。听说古时候有位叫舜的人,他是个心存仁义之性的人。人们探求舜之所以成为舜的原因,责问自己说:“舜是人,我也是人。为什么他能做到这样,我却不能做到这样?”于是日夜思索,丢弃掉不如舜的缺点,趋向那些近似舜的品德。听闻古代还有位圣人叫周公,他是个多才多艺的人。人们又研求周公之所以成为周公的原因,并责问自己说:“周公是人,我也是人。为什么他能做到这样,我却不能做到这样?”于是日夜思索,抛弃那些不如周公的缺点,趋向那些类似周公的品德。舜是一位大圣人,后世无人赶得上他;周公也是一位大圣人,后世也无人赶得上他。古时候的君子会说:“不如舜,不如周公,是我最大的缺点。”这不正是对自身要求严格而全面吗?对别人却说:“那个人,能有这种优点,就算是个善良的人了;能够擅长这种技艺,就算是个有才能的人了。”肯定别人一个方面的长处,而不苛求更多;赞许他新近的良好表现,不追究过去的不良表现,惶恐担心别人得不到做善事的益处。一种美德是容易培养的，一种技能是容易学成的。他对别人就说："能够具有这种美德，这也足够了。"又说："能够擅长这种技能，这也足够了。"这不正是对待别人宽容而简约的表现吗？

如今的君子却并非如此。他们对别人求全责备，对待自己却要求很低。求全责备，所以别人就难于做善事；对自己要求低，所以自己的收获就小。自己没有长处，却说："我这方面比较好，这就够了。"自己没什么才能，却说："我做到这样，也就够了。"对外拿这种话欺骗别人，对内拿这种话欺骗自己，还没有稍微取得一点成绩就止步不前。这不正是对自身要求太低吗？对别人就说："他虽然能够这样，但人品却不值得称赞；他虽然擅长这个，才能却不值得称赞。"举出别人不好的一点，却不考虑人家许多好的表现；追究别人过去的不足，而不考虑别人现在的进步。心中惶惶不安只怕别人得到好的声誉。这不是对别人要求太全面了吗？这就是拿常人的标准要求自身，却拿圣人的标准苛求别人，我看不出他这样做是在尊重自己啊！

尽管如此，他们这样做是有根源的，那就是所谓的怠惰和忌妒。怠惰的人不能够提高德才方面的修养，而忌妒的人又害怕别人提高这方面的修养。我曾尝试过，试着对大家说："某某是个好人，某某是个好人。"那些附和我的人，必定是那个人的朋友；不然，就是跟他关系疏远、与他没有共同利益的人；否则，就是畏惧他的人。若不是这样，性格强硬的人必定会愤怒地用言语来反驳，性格软弱的人也会表现出生气的脸色。我又曾试着对众人说："某某不是好人，某某不是好人。"那些不附和我的人，必定是那个人的朋友；要不就是跟他关系疏远、与他没有共同利益的人；否则，就是畏惧他的人。若不是这样，性格强硬的人必定会用言语来表达自己的喜悦，性格懦弱的人也会在脸上显露出高兴的神色。因此，事情做好了，诋毁就产生了；道德高尚了，诽谤就随之而来了。唉！读书人处在这种时代，希望名誉光大、道德传扬，真是太难了！

居于高位而想要有所作为的人，听到我的话而能存之于心，那国家差不多可以治理好了！

【题解】

本文选自《昌黎先生集》卷十一。此篇通过假设问答以发议论的形式,围绕君权传承中“传贤”与“传子”两种观点,对孟子天命说加以发挥和具体化。宣扬了其应当根据社会形势,制定符合人民利益的政策的一贯主张。文中所讨论的君权传承问题,代表了中唐政治思想的时代高度。

对禹问[①]

【原文】

或问曰:“尧舜传诸贤,禹传诸子,信乎?”曰:“然。”“然则禹之贤不及于尧与舜也欤?”曰:“不然,尧舜之传贤也,欲天下之得其所也;禹之传子也,忧后世争之之乱也。尧舜之利民也大,禹之虑民也深。”

曰:“然则尧舜何以不忧后世?”曰:“舜如尧,尧传之;禹如舜,舜传之。得其人而传之,尧舜也;无其人,虑其患而不传者,禹也。舜不能以传禹,尧为不知人;禹不能以传子,舜为不知人。尧以传舜,为忧后世;禹以传子,为虑后世。”

曰:“禹之虑也则深矣,传之子而当不淑[②],则奈何?”曰:“时益以难理,传之人则争,未前定也;传之子则不争,前定也。前定虽不当贤,犹可以守法,不前定而不遇贤,则争且乱。天之生大圣也不数[③],其生大恶也亦不数。

传诸人,得大圣,然后人莫敢争;传诸子,得大恶,然后人受其乱。禹之后四百年然后得桀[4],亦四百年然后得汤与伊尹[5]。汤与伊尹,不可待而传也,与其传不得圣人而争且乱,孰若传诸子,虽不得贤,犹可守法。"

曰:"孟子之所谓'天与贤,则与贤;天与子,则与子[6]'者,何也?"曰:"孟子之心,以为圣人不苟私于其子以害天下,求其说而不得,从而为之辞。"

【注释】

①对禹问:《孟子·万章上》:"万章问曰:'人有言:"至于禹而德衰,不传于贤,而传于子。"有诸?'孟子曰:'否,不然也。天与贤,则与贤;天与子,则与子。'"此篇是韩愈就此说设问并作答。

②当:恰好,正好。淑:善良,美好。

③不数(shuò):不常有。数,次数多,频率高。

④桀:夏桀,名履癸,夏朝最后一位君主。虽然文才出众、武艺超群,却暴虐无道、荒淫无度。

⑤汤:商汤,亦称"成汤""武汤",原为商族领袖,后攻灭夏朝,成为殷商开国之君。伊尹:商初大臣。名伊,一说名挚,尹为官名。相传为有莘氏的陪嫁奴隶,后助汤灭夏。

⑥"天与贤"四句:语出《孟子·万章上》。

【译文】

有人问:"尧、舜传位给那些有才德的贤臣,大禹传位给他的儿子启,果真是这样吗?"我答道:"是的。""那么,大禹就不如尧、舜贤明了吗?"我说:"不是的。尧、舜把帝位传给贤人,是为了使天下百姓都得到恰当安排。大禹把帝位传给儿子，是担忧后世为争位而引起纷乱。尧、舜对百姓的恩惠是极大的，大禹替百姓考虑得则更深远。”

有人问：“那么，尧、舜为什么不担忧后世呢？”我答道：“舜和尧德行才干相当，所以尧把王位传给他；禹和舜才德相类，所以舜把王位传给他。找到合适的人，并禅让给他，是尧和舜；找不到合适的人，考虑到将有的祸患而不禅让的，是大禹。舜倘若不传位给大禹，就证明尧不能鉴察舜的品行；倘若大禹不传位于儿子启，就证明舜不了解禹的品行。尧禅让给舜，忧虑的是后世平安；大禹传位给儿子启，考虑的是后世不乱。”

有人问：“大禹深谋远虑，把帝位传给儿子，但儿子却恰好不善，那怎么办？”我答道：“时势的确越来越难处理，传位给别人则会引起争权夺位之乱，因为先前未定下来到底传给谁；传位给儿子则不会引起争议，因为父子关系是先前就决定了的。出生前就决定可以作帝王的人，虽然不一定正好是位贤人，但他还可以恪守先王的法规；倘若传位给先前并未定好的人，而又没有遇到贤人，那么就会引起纷争从而导致混乱。天生的圣人不常有，天生的恶人也不常有。传位给别人，如果是大圣人的话，就不会出现争权夺位的事；传位给儿子，恰逢是大恶人的话，世人就得受乱遭殃。大禹之后四百年才出现了夏桀这个暴君，也正是这个时候出现了贤人商汤和伊尹。大禹等不到商汤与伊尹出现，并把王位传给他们。既然无法传给圣人而引起世道混乱，还不如传位给儿子，虽说儿子不一定圣贤，但还能遵守法度。”

有人问：“孟子所说的‘上天要把帝位授予圣贤的人，就授予圣贤的人；上天要授予君主的儿子，便授予君主的儿子’，是什么意思呢？”我答道：“孟子的意思，是认为圣人不会因为私爱儿子而危害天下。探求其中的原因而不成功，不得已才这样说的。”

【题解】

本文选自《昌黎先生集》卷十一。《杂说四篇》是一组托物寓意的论说短文，这是其中第一篇，俗称《龙说》。此篇紧扣龙和云密切依存、相得益彰的辩证关系，从“灵”字着眼，旨在阐述君主与贤臣相辅相成、不可相离的道理，体现了韩愈“君臣共治”的国家管理理念。

杂说四篇（其一）

【原文】

龙嘘气成云①，云固弗灵于龙也。然龙乘是气，茫洋穷乎玄间②，薄日月③，伏光景④，感震电，神变化，水下土⑤，汩陵谷⑥，云亦灵怪矣哉！

云，龙之所能使为灵也；若龙之灵，则非云之所能使为灵也。然龙弗得云，无以神其灵矣，失其所凭依，信不可欤⑦？异哉！其所凭依，乃其所自为也。《易》曰：“云从龙⑧。”既曰龙，云从之矣。

【注释】

①嘘气成云：龙吹气成云是古代的一种传说。嘘，呼出，呵出。

②穷：极，穷尽。玄间：宇宙，太空。《周易》中有“天玄地黄”一说。

③薄：逼近，迫近。

④伏：遮蔽，遮掩。景：影子。

⑤水：名词作动词，下雨。

⑥汩：淹没。陵谷：指高山大川。

⑦信：确实，实在。

⑧云从龙：语出《周易·乾卦·文言》："云从龙，风从虎，圣人作而万物睹。"从，随，跟随。

【译文】

龙呼出气来形成云，云固然不比龙灵异。但是龙乘着云气，却可以遨游驰骋在辽阔无边的宇宙，逼近太阳和月亮，遮挡住它们的光影，使雷电为之震动，变化神奇莫测，降下雨水浸润大地，淹没高山大川，这云也算是灵异神怪的了！

云是依靠龙的神力而具有灵异的；而龙所具备的灵异，却并非是云赋予它的。可是，假使龙失去云，它的灵异便无法显示出来。失去所依托的事物，确实是不行呀！真奇妙啊，龙所依靠的，竟是它自己造就出来的云。《周易》中说："云跟随着龙。"既然叫作龙，必定是有云跟随着它的。

【题解】

本文系《杂说四篇》中的第四篇，亦称《马说》，是《杂说四篇》中流传最广、影响最大的作品。文章巧妙地把对人才问题的透辟之见，寓于伯乐和千里马的故事中，描写了有志之士怀才不遇的境况，讽刺了当权者昏聩偏私、压抑人才的不合理现象。

杂说四篇（其四）

【原文】

世有伯乐[①]，然后有千里马。千里马常有，而伯乐不常有。故虽有名马，只辱于奴隶人之手[②]，骈死于槽枥之间[③]，不以千里称也。

马之千里者，一食或尽粟一石，食马者不知其能千里而食也[④]。是马也，虽有千里之能，食不饱，力不足，才美不外见[⑤]，且欲与常马等不可得，安求其能千里也！策之不以其道[⑥]，食之不能尽其材[⑦]，鸣之而不能通其意，执策而临之曰："天下无马！"呜呼！其真无马邪！其真不知马也！

【注释】

①伯乐：春秋秦穆公时人，姓孙，名阳，以善相马著称。现在引申为善于发现、推荐、培养和使用人才的人。

②奴隶人：仆役。这里指喂马的人。

③骈死于槽枥之间：（名贵的马）和普通的马一同死在马厩中。骈，并列。槽枥，亦作“槽历”，养马的地方。

④食：喂养。

⑤见：显现，显露。

⑥策：鞭策，驾驭。

⑦尽其材：这里指喂饱马，使它日行千里的才能充分发挥出来。

【译文】

世上有了伯乐，然后千里马才被发现。千里马经常有，但伯乐却不常出现。因此即使有名贵的马，也只能在养马的奴仆手下蒙受屈辱，和普通的马一样死在马厩中，没有机会被人冠以“千里马”的称号。

那些能日行千里的马，有时一顿饭能吃一石粮食，喂马的人不知道它能日行千里，而把它当作普通的马来饲养。这样的马，虽然有日行千里的能力，但由于吃不饱，力气不够，它的特长就不能显现出来，想要跟平常的马一样都做不到，又如何要求它日行千里呢？驾驭它时不能按照千里马的习性，喂养它时又不供给充足的饲料以使它能够充分地发挥才能，听到它的鸣叫却不通晓它的意思。还拿着鞭子对它说：“天下没有千里马。”唉！难道真的没有千里马吗？其实是人们不能识别千里马啊！

【题解】

本文选自《昌黎先生集》卷十一。韩愈所作属读书札记性质的杂著共四篇，另有《读鹖冠子》《读仪礼》《读墨子》三篇。此篇中韩愈借谈论荀子，理清了孟、扬、荀三家对于孔子学说的继承和渊源关系，由读孟而知尊孔，读扬、荀而知尊孟，肯定了孔孟的儒学正统地位，阐明了"孔子之道尊，圣人之道易行"的核心主张。

读　　荀[1]

【原文】

始吾读孟轲书[2]，然后知孔子之道尊，圣人之道易行，王易王[3]，霸易霸也[4]。以为孔子之徒没，尊圣人者，孟氏而已。晚得扬雄书[5]，益尊信孟氏。因雄书而孟氏益尊，则雄者，亦圣人之徒欤！

圣人之道，不传于世。周之衰，好事者各以其说干时君[6]，纷纷藉藉相乱[7]，六经与百家之说错杂[8]，然老师大儒犹在[9]。火于秦[10]，黄老于汉[11]，其存而醇者[12]，孟轲氏而止耳，扬雄氏而止耳。及得荀氏书，于是又知有荀氏者也。考其辞，时若不粹；要其归[13]，与孔子异者鲜矣。抑犹在轲雄之间乎！

孔子删《诗》《书》[14]，笔削《春秋》[15]，合于道者著之，离于道者黜去之，故《诗》《书》《春秋》无疵[16]。余欲削荀氏之不合者[17]，附于圣人之籍，亦孔子之志欤。孟氏，醇乎

醇者也；荀与扬，大醇而小疵。

【注释】

①荀：指《荀子》，为荀况所作。荀况又称荀卿，战国时期著名思想家、文学家、政论家。

②孟轲：孟子，名轲，战国时期著名思想家、教育家，儒家代表人物，著有《孟子》一书。有“亚圣”之称，与孔子并称“孔孟”，其思想与孔子思想合称为“孔孟之道”。

③王易王（wàng）：奉行王道的君主很容易称王。后一“王”字作动词。

④霸易霸：奉行霸道的君主很容易称霸。后一“霸”字作动词。

⑤扬雄：字子云，西汉辞赋家、思想家，为人好古乐道，不慕荣华，以文章名世，曾模仿司马相如的《子虚赋》《上林赋》，作《甘泉赋》《羽猎赋》《长杨赋》，著有《太玄》《法言》《方言》等书。

⑥干：求见，谒见。

⑦纷纷藉藉：纷乱交错的样子。

⑧六经：指《诗经》、《书经》（即《尚书》）、《礼记》（汉代指《仪礼》）、《易经》、《乐经》、《春秋》六部儒家典籍。

⑨老师大儒：这里指孔子的弟子，如子贡、子夏等人，他们当时都曾为诸侯师，故称。

⑩火于秦：指秦始皇焚毁儒家典籍之事。

⑪黄老：黄帝和老子。道家推崇黄帝和老子，“黄老”是道家的别称。黄老之学始于战国，盛于西汉。

⑫醇：精纯不杂。

⑬要其归：探求他的宗旨。要，通“徼”，探求，求取。归，趋向，归向，

这里引申为"宗旨"。

⑭孔子删《诗》《书》:《诗》即《诗经》,《书》即《尚书》,相传皆为孔子删定。"删诗说"始见于司马迁《史记·孔子世家》:"古者《诗》三千余篇,及至孔子,去其重,取可施于礼义……三百五篇孔子皆弦歌之。"当今学者多认为此说不成立。

⑮笔削《春秋》:相传孔子对鲁国史书《春秋》作了修订。笔,记载。削,删改。

⑯疵:缺点,瑕疵。这里指失当之处。

⑰荀氏之不合者:荀子的"性恶说"等观点不符合儒家道统,是韩愈想要删削的。

【译文】

我开始阅读孟轲的书,这才明白孔子学说的尊贵,圣人的思想易于实行,奉行王道的君主很容易称王,奉行霸道的君主很容易称霸。我认为孔子弟子消没以后,尊崇圣人的人只有孟轲罢了。后来得到扬雄的书,使我更加尊信孟轲。因为扬雄的书而使孟轲更显尊崇,那么扬雄也算是圣人的门徒了吧!

圣人的学说,早已不在世上流传。周朝衰亡时,爱兴事端的人各自拿着他们的学说求见当时的君主,纷纷攘攘交错混乱,六经和诸子百家的学说错乱混杂,但当时研究传授六经的大学者们还在。经过秦始皇焚书之灾,汉时被黄老之学排斥,保存儒家学说并且精纯不杂的,只有孟轲而已,只有扬雄而已。等我获得荀子的书,于是又知道还有荀子。考察他的文辞,有时好像不够纯粹,探求他的宗旨,和孔子学说不同处很少,也许是介于孟轲和扬雄之间吧!

孔子删辑《诗经》《尚书》,抄录改定《春秋》,凡是符合圣人学说的就著录，背离圣人学说的就去除，因此《诗经》《尚书》《春秋》没有失当之处。我打算删削荀子书中不符合儒家道统的内容，将他的著作附在圣人的典籍之后，这也是像孔子删辑《诗经》《尚书》、抄录改定《春秋》那样的志向吧！孟子的学说，是精纯不杂的；荀子与扬雄的学说，大体是纯正的，但局部稍有缺憾。

【题解】

本文选自《昌黎先生集》卷十二。文章紧扣“祥与不祥”“知与不知”这两组矛盾，表面看是对“获麟”一事进行阐说，实则借物喻己，为有才华的知识分子不被明主所识鸣不平。此篇同《杂说四篇》中的《龙说》《马说》有异曲同工之妙。

获麟解①

【原文】

麟之为灵昭昭也②，咏于《诗》③，书于《春秋》④，杂出于传记百家之书，虽妇人小子，皆知其为祥也。

然麟之为物，不畜于家，不恒有于天下。其为形也不类⑤，非若马牛犬豕豺狼麋鹿然⑥。然则虽有麟，不可知其为麟也。角者吾知其为牛，鬣者吾知其为马⑦，犬豕豺狼麋鹿，吾知其为犬豕豺狼麋鹿，惟麟也不可知。不可知，则其谓之不祥也亦宜。

虽然，麟之出，必有圣人在乎位。麟为圣人出也，圣人者必知麟，麟之果不为不祥也⑧。

又曰，麟之所以为麟者，以德不以形，若麟之出不待圣人，则谓之不祥也亦宜。

【注释】

①麟：麒麟，中国传统瑞兽，性情温和，相传能活两千年。

②灵:语出《礼记·礼运》:"麟、凤、龟、龙,谓之四灵。"昭昭:清楚,明白。

③咏于《诗》:《诗经》中有《国风·周南·麟之趾》篇。

④书于《春秋》:《春秋》记载了鲁哀公十四年"西狩获麟"一事。另《春秋公羊传》《春秋穀梁传》也有记载。

⑤不类:(与其他动物)不相似。

⑥麋:哺乳动物,比牛大,毛淡褐色,雄的有角,角像鹿,尾像驴,蹄像牛,颈像骆驼,俗称"四不像"。

⑦鬣(liè):马颈上长长的鬃毛。

⑧果:果真,果然。

【译文】

麒麟是灵兽,这是十分清楚明白的事。《诗经》里歌咏它,《春秋》里记载它,它还频繁地出现在史传和诸子百家的书里,即使是妇女儿童,都知道麒麟是祥瑞的象征。

可是麒麟这种动物,不能被畜养在人们家中,也不经常在天下间出现。它的外形不与其他动物相似,不像马、牛、狗、猪、豺、狼、麋、鹿那样。那么即使有麒麟,人们也不知道它就是麒麟。头上长角的,我知道它是牛;长着长长的鬃毛的,我知道它是马;狗、猪、豺、狼、麋、鹿,我都能认出它们是狗、猪、豺、狼、麋、鹿。唯独麒麟,不能辨识。不能辨识,那么说它是不祥之物也是合适的。

即使如此,麒麟出现时,必定有圣明的人在位。麒麟为圣人而出现,圣人也一定认得麒麟,因此麒麟果真不是不祥之物。

又说:"麒麟之所以被称作麒麟,是因为它的德行灵性,而不在于它的外貌形状。"因此,倘若麒麟不等有圣人在位就出现,那么称它是不祥之物也是可以的。

【题解】

本文选自《昌黎先生集》卷十二。文章通过古今对比和正反对比两个方面，揭露了士大夫阶层耻于相师的恶劣风气，表现了韩愈倡师重道的进步思想。文中提出的“唯道是学”“学无常师”等观点，突破了儒家师道尊严的藩篱，是对古代教育理论的重大发展。

师　说

【原文】

古之学者必有师[①]，师者，所以传道受业解惑也[②]。人非生而知之者[③]，孰能无惑？惑而不从师，其为惑也，终不解矣。生乎吾前，其闻道也固先乎吾，吾从而师之；生乎吾后，其闻道也亦先乎吾，吾从而师之。吾师道也，夫庸知其年之先后生于吾乎[④]？是故无贵无贱，无长无少，道之所存，师之所存也。

嗟乎！师道之不传也久矣！欲人之无惑也难矣！古之圣人，其出人也远矣[⑤]，犹且从师而问焉；今之众人，其下圣人也亦远矣[⑥]，而耻学于师。是故圣益圣，愚益愚。圣人之所以为圣，愚人之所以为愚，其皆出于此乎？爱其子，择师而教之，于其身也，则耻师焉[⑦]，惑矣！彼童子之师，授之书而习其句读者[⑧]，非吾所谓传其道解其惑者也。句读之不知，惑之不解，或师焉，或不焉[⑨]，小学而大遗[⑩]，吾未见其明也。巫医乐师百工之人[⑪]，不耻相师，士

大夫之族，曰师曰弟子云者，则群聚而笑之，问之，则曰："彼与彼年相若也，道相似也。"位卑则足羞，官盛则近谀[12]。呜呼！师道之不复可知矣！巫医乐师百工之人，君子不齿[13]，今其智乃反不能及，其可怪也欤[14]！

圣人无常师，孔子师郯子[15]、苌弘[16]、师襄[17]、老聃[18]。郯子之徒，其贤不及孔子。孔子曰："三人行，则必有我师[19]。"是故弟子不必不如师[20]，师不必贤于弟子，闻道有先后，术业有专攻，如是而已。

李氏子蟠[21]，年十七，好古文，六艺经传[22]，皆通习之，不拘于时[23]，学于余。余嘉其能行古道，作《师说》以贻之[24]。

【注释】

①学者：求学的人。

②师者，所以传道受业解惑也：所谓老师，是传授道理、教授学业和解答疑惑的人。所以，用来……的。道，指儒家学说。受，通"授"，传授。

③人非生而知之者：语出《论语·季氏》："生而知之者，上也；学而知之者，次也；困而学之，又其次也；困而不学，民斯为下矣。"

④庸：岂，难道。

⑤出人：超过一般人。

⑥下：方位名词作动词，不如。

⑦耻：意动用法，以……为耻。

⑧句读：也叫"句逗"，古人指文辞休止和停顿处。文辞意尽处为句，语意未尽而须停顿处为读，句号为圈，逗号为点。古代书籍上没有

标点，老师教儿童读书时，要教他们断句。

⑨不：通“否”。

⑩小学而大遗：小的知识（指“句读之不知”）去学习，大的知识（指“惑之不解”）反而丢弃了。遗，丢弃，放弃。

⑪巫医：巫师和医师，古人多求助于鬼神以治病，故巫医往往并提。乐师：以音乐为职业的人。百工：泛指各种手工业工匠。在古代，三者的社会地位都十分低下。

⑫位卑则足羞，官盛则近谀：拜地位低的人为师，就感到可耻；拜官职高的人为师，又近乎阿谀奉承。谀，阿谀，谄媚。

⑬不齿：不屑与之为伍。齿，列。

⑭其：岂，难道，表反问。欤：语气词，表感叹。

⑮郯（tán）子：春秋时郯国（在今山东临沂）的国君，相传孔子曾向他请教官职名称。

⑯苌弘：东周敬王时的大夫，相传孔子曾向他请教古乐。

⑰师襄：春秋时鲁国的乐官，相传孔子曾向他学琴。

⑱老聃（dān）：老子，姓李名耳，相传孔子曾向他学习周礼。

⑲三人行，则必有我师：三个人一起行走，其中一定有可以当我老师的人。语出《论语·述而》：“子曰：‘三人行，必有我师焉。择其善者而从之，其不善者而改之。’”

⑳不必：不一定。

㉑李氏子蟠：李蟠，韩愈的弟子，唐德宗贞元十九年（803）进士第一名。

㉒六艺：指《诗经》、《书经》（即《尚书》）、《礼记》（汉代指《仪礼》）、《易经》、《乐经》、《春秋》六部儒家典籍。传：对经典的注释。

㉓不拘于时：不受时俗观念的束缚。时，时俗，指当时士大夫中耻于

从师的不良风气。

㉔贻：赠送，赠予。

【译文】

古时求学的人一定有老师。所谓老师，是传授道理、教授学业和解答疑惑的人。人并非一生下来就懂得知识和道理，谁能没有疑惑呢？有了疑惑却不去请教老师，他的疑惑便终究不能解决。出生在我前面的人，他知道道理必然比我早，我跟从他并拜为老师；出生在我后面的人，他懂得道理也可能比我早，我跟从他并拜为老师。我学的是道理，哪里用得着管他年岁比我大还是比我小呢？所以说，不论贵贱，不分老少，道理存在的地方，就是老师存在的地方。

唉！拜师求学的风气失传已经很久了，要让人们没有疑惑也是很困难的。古时候的圣人，他们远远超过一般人，尚且跟着老师询问请教；现在的普通人，他们远不如圣人，却把从师学习当作羞耻。因此，圣人更加圣明，愚人则更加愚笨。圣人之所以成为圣哲，愚人之所以成为愚人的原因，大概就出于这吧！人们爱自己的孩子，就选择老师来教他；对于他们自身来说，却以拜师为耻，真是糊涂啊！那些孩子的老师，是教他们读书和学习如何断句的，不是我所说的那种传授道理、解决疑惑的人。不懂得断句，不能解决疑惑，前者去拜师求教，后者却不愿请教老师，小的知识去学习，大的知识反而丢弃了，我看不出他们明白事理的地方。巫医、乐师、工匠这些人，不把拜师学习当作羞耻的事。士大夫这类人，说到老师、弟子这类称呼，就会有很多人聚集在一起讥笑人家。问他们为什么这样，他们就说："那个人和他年龄相当，学问也相仿。"拜地位低的人为师，就感到可耻；拜官职高的人为老师，又近乎阿谀奉承。唉！从师学习的风气不能恢复，从这里就可以知道了。巫医、乐师和工匠这类人，君子不屑与他们为伍。现在这些君子的智慧反而不如他们，岂不奇怪吗！

圣人没有固定的老师。孔子便曾向郯子、苌弘、师襄、老聃求教过。郯子这些人，他们的贤能还不及孔子。孔子说："三个人一起行走，其中一定有可以当我老师的人。"所以说，学生不一定不如老师，老师也不一定比学生高明。懂得道理有先有后，学术技艺各有专长，不过如此罢了。

李家的孩子叫蟠，今年十七岁，爱好古文，六经的经文和注解普遍研习过，他不受时俗观念的束缚，来向我求学。我赞许他能遵循古人从师学习的传统，写了这篇《师说》赠予他。

【题解】

本文选自《昌黎先生集》卷十二。文章模仿东方朔《答客难》及扬雄《解嘲》的写法，通过先生训示、学生驳诘、先生答问的递进式结构，集中讨论了韩愈关于治学、写作、为人、卫道等方面的见解及取得的成就，批判了当权者不识贤愚、用人不公的弊端。

进学解

【原文】

国子先生晨入太学[①]，招诸生立馆下[②]，诲之曰："业精于勤，荒于嬉；行成于思，毁于随[③]。方今圣贤相逢，治具毕张[④]，拔去凶邪，登崇畯良[⑤]。占小善者率以录[⑥]，名一艺者无不庸[⑦]，爬罗剔抉[⑧]，刮垢磨光[⑨]。盖有幸而获选，孰云多而不扬？诸生业患不能精，无患有司之不明[⑩]！行患不能成，无患有司之不公！"

言未既[⑪]，有笑于列者曰："先生欺余哉！弟子事先生，于兹有年矣。先生口不绝吟于六艺之文，手不停披于百家之编[⑫]，记事者必提其要，纂言者必钩其玄[⑬]。贪多务得，细大不捐[⑭]。焚膏油以继晷[⑮]，恒兀兀以穷年[⑯]。先生之业，可谓勤矣。抵排异端[⑰]，攘斥佛老[⑱]；补苴罅漏[⑲]，张皇幽眇[⑳]；寻坠绪之茫茫[㉑]，独旁搜而远绍[㉒]；障百川而东之，回狂澜于既倒。先生之于儒，可谓有劳矣。沉浸浓郁，含英咀华[㉓]；作为文章，其书满家。上规姚姒[㉔]，浑浑无涯；周诰殷盘[25]，佶屈聱牙[26]；《春秋》谨严，《左氏》浮夸，《易》奇而法，《诗》正而葩。下逮《庄》《骚》，太史所录，子云相如，同工异曲。先生之于文，可谓闳其中而肆其外矣[27]。少始知学，勇于敢为，长通于方，左右具宜。先生之于为人，可谓成矣。然而公不见信于人[28]，私不见助于友，跋前踬后[29]，动辄得咎。暂为御史，遂窜南夷[30]；三年博士[31]，冗不见治[32]。命与仇谋，取败几时。冬暖而儿号寒，年丰而妻啼饥，头童齿豁[33]，竟死何裨[34]？不知虑此，而反教人为！”

先生曰：“吁！子来前！夫大木为宊[35]，细木为桷[36]，欂栌侏儒[37]，椳闑扂楔[38]，各得其宜，施以成室者，匠氏之工也。玉札丹砂[39]，赤箭青芝[40]，牛溲马勃[41]，败鼓之皮，俱收并蓄，待用无遗者，医师之良也。登明选公，杂进巧拙，纡余为妍[42]，卓荦为杰[43]，校短量长，惟器是适者，宰相之方也。昔者孟轲好辩，孔道以明，辙环天下，卒老于行；荀卿守正，大论是弘，逃谗于楚，废死兰陵[44]。是二儒者，吐辞为经，举足为法，绝类离伦，优入圣域，其遇于世何如也？今先生学虽勤而不繇其统[45]，言虽多而不要其中，文虽奇而不济于用，行虽修而不显于众；犹且月费俸钱，岁靡廪粟[46]，子不知耕，妇不知织，乘马从徒，安坐而食，踵常途之促促[47]，窥陈编以盗窃[48]。然而圣主不加诛，宰臣不见斥，非其幸欤！动而得谤，名亦随之；投闲置散，乃分之宜。若夫商财贿之有亡[49]，计班资之崇庳[50]，忘己量之所称，指前人之瑕疵，是所谓诘匠氏之不以杙为楹[51]，而訾医师以昌阳引年[52]，欲进其豨苓也[53]。”

【注释】

①国子先生:韩愈自称,当时他任国子博士。唐朝时,国子监是设在京都的最高学府,下面有国子学、太学等七学,各学置博士为教授官。国子学是为高级官员子弟而设的。太学:这里指国子监。唐朝国子监相当于汉朝的太学,古时对官署的称呼常有沿用前代旧称的习惯。

②馆:学馆,学舍。

③"业精于勤"四句:学业靠勤勉才能精进,而它的荒废是由于嬉戏玩乐;品行靠思考才能成就,而它的败坏是由于依随俗流。

④治具:治理的工具,这里指治国的措施法令。《史记·酷吏列传》:"法令者,治之具。"张:建立,确立。

⑤登崇:选用,提拔。畯:通"俊",才俊。

⑥率:都。

⑦庸:动词,用。

⑧爬罗剔抉:搜罗筛选人才。爬,爬梳,整理。

⑨刮垢磨光:去除缺点,磨炼光亮。指精心造就人才。

⑩有司:这里指主管选拔人才的官吏。

⑪既:完毕。

⑫百家之编:指儒家经典以外各学说流派的著作。

⑬钩其玄:探索其中的微言大义。

⑭细大不捐:小的大的都不抛弃。形容所有东西兼收并蓄。

⑮焚膏油以继晷(guǐ):太阳落下去了,就点上灯烛。指夜以继日。膏油,指灯烛。晷,日影。

⑯恒兀兀以穷年:一年到头永远在那里孜孜不倦地研究。兀兀,勤奋刻苦的样子。穷,极,尽。

⑰异端：儒家称儒家以外的学说为异端。《论语·为政》："攻乎异端，斯害也已。"

⑱攘斥：排斥。

⑲补苴（jū）罅（xià）漏：弥补缺漏。苴，鞋底的草垫，这里作动词用，"填补"义。罅，裂缝。

⑳张皇幽眇：光大儒道的精微奥妙。张皇，张大。幽，深。眇，微。

㉑坠绪：行将断绝的道统。绪，前人留下的事业，这里指儒家的道统。韩愈认为，儒家之道从尧舜传到孔孟，以后就失传了，而他以继承这一道统自居。

㉒远绍：遥相承接。

㉓英：花。这里指文章的精妙之处。

㉔姚姒：相传虞舜姓姚，夏禹姓姒。

㉕周诰：《尚书·周书》中有《大诰》《康诰》《酒诰》《召诰》《洛诰》等篇。诰是古代一种训诫勉励的文告。殷盘：《尚书·商书》中有《盘庚上》《盘庚中》《盘庚下》三篇。

㉖佶（jí）屈聱（áo）牙：艰涩难懂的样子。

㉗闳其中而肆其外：内容博大而文辞奔放流畅。

㉘见信：被信任。"见"在动词前表示被动，下句"见助"同此用法。

㉙跋前踬后：形容进退都有困难。语出《诗经·豳风·狼跋》："狼跋其胡，载疐其尾。"跋，踩。踬，绊。

㉚遂窜南夷：德宗贞元十九年（803），韩愈任监察御史，目睹关中大旱灾情严重，有关官员谎报民情，他痛心不已，愤而上疏，触怒宗室权贵，被贬为连州阳山令。阳山在今广东省，故称南夷。窜，放逐，贬谪。

㉛三年博士：韩愈在宪宗元和元年（806）至元和四年（809）任国子

博士。

㉜冗:闲散。见:表现,显露。

㉝头童齿豁:头顶秃了,牙齿脱落了。童,秃,没有头发。豁,残缺,脱落。

㉞裨:好处,益处。

㉟杗(máng):房屋的大梁。

㊱桷(jué):方形的椽子。

㊲欂(bó)栌(lú):又称斗拱,柱顶上承托栋梁的短木。侏儒:梁上的短柱。

㊳椳(wēi):门枢,承托门转轴的臼状物。闑(niè):门橛,古代大门中央所竖的短木。扂(diàn):门闩。楔:门两旁的长木柱。

㊴玉札:地榆。丹砂:朱砂。二者皆为名贵药材。

㊵赤箭:天麻。青芝:龙芝。二者皆为名贵药材。

㊶牛溲:牛尿。马勃:一种菌类。二者及下句"败鼓之皮"都是贱价药材。

㊷纡余:从容不迫的样子。

㊸卓荦(luò):突出,超绝出众。

㊹废死兰陵:荀子曾三次出任齐国稷下学宫的祭酒,因遭毁谤而逃往楚国,后被楚国春申君黄歇任命为兰陵令,春申君死后被废,著书立说,死后葬于兰陵。

㊺繇(yóu):通"由",从,经。这里引申为遵循的意思。

㊻靡:浪费,消耗。廪:粮仓。

㊼踵:脚后跟,这里是跟随的意思。促促:谨慎小心的样子。

㊽窥陈编以盗窃:指翻阅古籍寻章摘句而没有自己的创见。陈编,古旧的书籍。

㊾亡：通“无”。

㊿班资：官阶，品秩。庳（bēi）：通“卑”，低。

51杙（yì）：小木桩。楹：柱子。

52訾（zǐ）：毁谤，指责。昌阳：又名菖蒲，药材名。相传久服可以延年益寿。

53豨（xī）苓：又名猪苓，利尿药。

【译文】

国子先生早晨走进太学，召集全体学生站在学舍下面，教导他们说：“学业靠勤勉才能精进，而它的荒废是由于嬉戏玩乐；品行靠思考才能成就，而它的败坏是由于依随俗流。当今圣君与贤臣相遇，治国的措施法令完全建立起来，铲除凶恶奸邪的小人，举用贤能优良之士。凡有一点长处的人都被录取，以一技之长见称的人无不任用，搜罗筛选人才，使他们去除缺点，磨炼出光亮。恐怕只有才行不够而侥幸被选拔上来的人，哪里会有多才多艺却没有被提举的人呢？各位学生只用担心自己学业不够精进，不必担心主管官吏不能明察；只用担心自己的德行无所成就，不必担心主管官吏不够公正。”

话还没说完，就有人在行列里笑道：“先生是在骗我们吧！我们跟随先生学习，到如今已经有好几年了。先生嘴里不停地吟诵着六经的文章，手里不停地翻阅着百家的书籍，记事的史传必定提炼出它的概要，说理的论文必定探索其中的微言大义。追求多读，力求有所收获，不论大小都不舍弃。太阳落山了，就点上灯烛，一年到头永远在那里孜孜不倦地研究。先生对于学业，可以说是够勤奋用功了。抵制异端邪说，排斥佛教和道教；弥补儒学的缺漏，光大儒道的精微奥妙；寻找渺茫的行将断绝的道统，独自广泛地搜寻、遥相承接；防堵泛滥的百川使它东流入海，挽回即将倾倒的滔天巨浪。先生对于儒学，可以说是立了功劳。沉浸在意味深厚的典籍中，用心地体味着书中的精华。写成的文章，书稿堆满了家中。向上效法虞、夏时代的典章，其内容博大得无边无际；周代的诰书和殷商的《盘庚》，艰涩而难读；《春秋》文辞严谨精炼，《左传》语言铺张夸饰；《周易》变化玄妙而有法则，《诗经》思想纯正而辞藻华美。下至《庄子》和《离骚》，太史公的《史记》，以及扬雄和司马相如的赋作，上述作品虽然形式并不相同，却都达到了精妙的境界。先生的文章，可以说是内容博大而文辞奔放流畅。先生少年时就懂得学习，敢作敢为；成年后通晓为人处世的道理，各个方面处理得当。先生的为人，可以说是很完备了。但是在朝中不被权贵信任，在私下交往中又不被朋友帮助。进退两难，动不动就获罪。刚刚当上监察御史，就被降职到荒凉的南蛮之地。做了三年国子博士，闲散而没有表现出政绩。命中注定要和仇敌相遇，不时就会遭遇失败。在暖和的冬天，孩子却喊冷；在丰收的日子里，妻子却叫饿。头顶秃了，牙齿脱落了，直到老死又有什么好处呢？自己不知道考虑这些，反而来教训别人么！”

先生说：“咦！你到前面来！如同是盖房子，那些大木材做大梁，小木材做椽子，做斗拱、短柱或者门枢、门橛、门闩和门柱等，各自都得到适宜的用场，用它们把房子建成，这可是木匠的技巧。地榆、朱砂、天麻、龙芝、牛溲、马勃、破烂的鼓皮，统统采集收藏，等待需要时取用而没有遗漏，这是医师的高明。提拔贤明之人，选用公正无私之人，不论是灵巧的还是朴拙的都加以推荐。把从容不迫看作是美德，把超绝出众推为杰出。比较衡量各人的优缺点，按照才能安排适合的工作，这是宰相用人的方略。过去孟轲善于辩论，孔子的学说因而得以阐明，他的车轮印迹遍布天下，最后在奔走中度过了一生。荀子信守正道，把儒家的学说发扬光大，他为了逃避毁谤到了楚国，结果还是丢了官，老死在兰陵。这两位大儒，他们的言论成为后世尊奉的经典，他们的一举一动成为后人效仿的准则，超越同类、独一无二，足以达到圣人的境界。然而他们在世上的遭遇又如何呢？如今我学习虽然勤奋，但不能遵循儒家的正统；言论虽多，却不能切合要旨；文章虽然写得新颖，然而对于实际应用却没有帮助；道德品行虽然美好，但不能在众人中显露头角。尚且还需每月领取俸禄，每年消耗公家的粮食；儿子不懂种田，妻子不会织布；乘着马车，后面跟着仆人，在家安然坐着不劳而食；谨慎小心地走着寻常道路，翻阅古籍寻章摘句些古人的文辞。然而圣明的君主不加责罚，宰相大臣也不予斥责，这不正是我的幸运吗？动不动就遭到毁谤，可是名声也随之增大了。被安置在闲散的职位上，那也是分内应得的处置。至于考虑俸禄的有无，计较官职的高低，忘记了自己的才能和什么位置相称，还要指责别人的毛病，这就好比质问工匠为什么不用小木桩做柱子，责怪医师用菖蒲作长寿药，却想推荐他的猪苓。”

【题解】

本文选自《昌黎先生集》卷十二。《五箴》篇亦称“韩愈五箴”或“昌黎五箴”，属韩愈的自勉之文。他分别从游、言、行、好恶、知名五个方面，对自身缺失进行反省，字里行间体现了韩愈勇于克己省身的鲜明个性色彩及其通过自嘲求取平静心态的努力。

五　箴（并序）

【原文】

人患不知其过。既知之，不能改，是无勇也。余生三十有八年，发之短者日益白，齿之摇者日益脱，聪明不及于前时，道德日负于初心，其不至于君子而卒为小人也昭昭矣！作《五箴》以讼其恶云[①]。

游　箴

余少之时，将求多能，蚤夜以孜孜[②]；余今之时，既饱而嬉，蚤夜以无为。呜呼余乎！其无知乎！君子之弃而小人之归乎！

言 箴

不知言之人，乌可与言，知言之人，默焉而其意已传。幕中之辩，人反以汝为叛；台中之评[3]，人反以汝为倾[4]。汝不惩邪[5]，而呶呶以害其生邪[6]？

行 箴

行与义乖[7]，言与法违，后虽无害，汝可以悔。行也无邪，言也无颇[8]，死而不死，汝悔而何。宜悔而休，汝恶曷瘳[9]？宜休而悔，汝善安在？悔不可追，悔不可为，思而斯得，汝则弗思。

好 恶 箴

无善而好，不观其道；无悖而恶[10]，不详其故。前之所好，今见其尤[11]，从也为比[12]，舍也为仇；前之所恶，今见其臧[13]，从也为愧，舍也为狂，维仇维比，维狂维愧，于身不祥，于德不义，不义不祥，维恶之大，几如是为，而不颠沛[14]！齿之尚少，庸有不思，今其老矣，不慎胡为？

知名箴

内不足者，急于人知；霈焉有余[15]，厥闻四驰[16]。今日告汝，知名之法，勿病无闻[17]，病其哗哗[18]！昔者子路，惟恐有闻[19]，赫然千载，德誉愈尊。矜汝文章，负汝言语，乘人不能，掩以自取。汝非其父，汝非其师，不请而教，谁云不欺。欺以贾憎[20]，掩以媒怨[21]，汝曾不寤，以及于难。小人在辱，亦克知悔，及其既宁，终莫能戒。既出汝心，又铭汝前，汝如不顾，祸亦宜然。

【注释】

①讼：谴责，声讨。

②蚤：通“早”。孜孜：勤奋而不懈怠的样子。

③台中之评：指韩愈任监察御史时上疏《御史台上论天旱人饥状》，触怒宗室权贵，被贬为连州阳山令一事。台，御史台。

④倾：偏斜。

⑤惩：惩戒。

⑥呶（náo）呶：唠唠叨叨的样子。

⑦乖：背离，违背。

⑧颇：偏颇。

⑨瘳（chōu）：病愈。这里是改正恶行的意思。

⑩恶：厌恶，讨厌。

⑪尤：过失，弊端。

⑫比：接近，亲近。这里指阿附。

⑬臧：美好，善良。

⑭颠沛：指困顿受挫。

⑮霈(pèi)焉：盛大的样子。这里指才华横溢。

⑯厥：人称代词，他的。闻：名声，声誉。

⑰病：顾虑，担心。

⑱晔晔：盛大美好的样子。这里指名声显赫。

⑲昔者子路，惟恐有闻：语出《论语·公冶长》："子路有闻，未之能行，唯恐有闻。"子路，姓仲名由，又称季路，是孔子的得意门生。

⑳贾(gǔ)憎：招致憎恶。贾，招引，招惹。

㉑媒怨：惹人嫉恨。媒，招致，惹来。

【译文】

人要担忧自己不了解自己的过失。已经知道了却不去改正，这是缺乏勇气。我活了三十八岁，已经稀短的头发日渐斑白，已经动摇的牙齿日渐脱落，听力视力不如从前那样清晰，品行德操一天天背离自己的本意，我不能成为君子，最终只能做一个小人，这已是很明白的事情了！所以我写下《五箴》来声讨自己的罪恶。

我年少的时候，总想具有多方面的才能，所以从早到晚孜孜不倦地学习；而我现在，吃饱肚子就去游玩，一天到晚无所作为。唉，我呀我，难道是不知道吗？我已经被君子所鄙弃，进入小人的行列了！

不能理解你讲话的人，哪里用得着跟他交谈？能理解你话的人，往往用不着开口他就能懂得你的意思。在幕府中辩论是非，人们反而认为你图谋反叛；在御史台时评议政事，人们反而认为你思想偏斜。你不知道惩戒自己，反而唠唠叨叨害得自己送掉性命吗？

行为与道义相违背，言论与法令相抵触，即使后来没有招致祸患，你也应当后悔难过；行为并无不正当，言论并无偏颇，人死了精神也不死，你还后悔什么呢？应当后悔的却不后悔，你的恶行怎能改正？不应后悔的却要后悔，你的善良又在哪里？后悔是不能挽回的，后悔的事也不能做，仔细想想就会懂得这个道理，你却不肯用心思考。

一个人没有善行你却喜欢他，是没有观察他的道德品质；一个人没有悖谬之行你却厌恶他，是没有了解其中的缘故。先前所爱好的，现在发现了他的弊端；跟从他就是勾结比附，舍弃他就会结怨为仇。先前所厌恶的，现在看见了他的好处；跟从他就会心生羞愧，舍弃他就是狂放傲慢。结仇、勾结、狂傲、羞愧，对于自身来说是不好的，对于道德来说是不合道义的。不仁义、不好善，这是最大的罪恶，难道像这样做，能不困顿受挫吗？年轻的时候，庸庸碌碌不知思考，现在老了，不谨慎行事，还想做什么呢！

内心浅陋的人，急于想让别人知道自己；才华横溢的人，他的名声自然四方传扬。今天我告诉你出名的方法：不要担心默默无闻，只怕名声太显赫。过去孔子的弟子子路，他生怕自己有名声，结果千百年来他的德行名声更显尊贵。而你却以文章自夸，以言谈自负，欺辱别人还不具有这些本事，就把声名统统猎取。你既不是别人的父亲，也不是别人的老师，没有向你请教而你却指教他，谁说你不是在欺侮他呢？欺负人招致憎恶，争名声惹人嫉恨，你竟然还不醒悟，以致灾难降临。小人受到屈辱的时候，也能知道后悔，等到时过境迁，最后还是不能引以为戒。这番话你既然从心里悟出，又铭刻在座位前，你如果还不反省，遭遇灾祸也是应该的。

【题解】

本文选自《昌黎先生集》卷十二。韩愈从李贺因避父讳而不能参加科考出发，援引法律条文、经文和典章，列举事例进行辩驳。通篇充满论辩性与战斗性，表现了韩愈对唐代苛刻的避讳制度与禁忌万端的陈腐风气的深恶痛绝，以及他对人才的爱惜和提携。

讳　辩

【原文】

愈与李贺书[①]，劝贺举进士[②]。贺举进士有名，与贺争名者毁之[③]，曰："贺父名晋肃，贺不举进士为是，劝之举者为非。"听者不察也，和而唱之，同然一辞。皇甫湜曰[④]："若不明白，子与贺且得罪。"愈曰："然。"

律曰，二名不偏讳[⑤]，释之者曰，谓若言"徵"不称"在"，言"在"不称"徵"是也[⑥]；律曰，不讳嫌名[⑦]，释之者曰，谓若"禹"与"雨"、"丘"与"蓲[⑧]"之类是也；今贺父名晋肃，贺举进士，为犯二名律乎？为犯嫌名律乎？父名晋肃，子不得举进士，若父名仁，子不得为人乎？

夫讳始于何时？作法制以教天下者[⑨]，非周公孔子欤！周公作诗不讳[⑩]，孔子不偏讳二名，《春秋》不讥不讳嫌名[⑪]。康王钊之孙，实为"昭"王[⑫]，曾参之父名皙，曾子不讳"昔"[⑬]。周之时有骐期[⑭]，汉之时有杜度[⑮]，此其二子宜如何讳？将讳其嫌，遂讳其姓乎？将不讳其嫌者乎？

汉讳武帝名彻为通[16]，不闻又讳车辙之辙为某字也；讳吕后名雉为野鸡[17]，不闻又讳治天下之治为某字也。今上章及诏，不闻讳"浒""势""秉""饥"也[18]，惟宦官宫妾乃不敢言"谕"及"机"[19]，以为触犯。士君子言语行事，宜何所法守也？今考之于经，质之于律[20]，稽之以国家之典[21]，贺举进士，为可邪？为不可邪？

凡事父母得如曾参，可以无讥矣，作人得如周公孔子，亦可以止矣。今世之士，不务行曾参周公孔子之行，而讳亲之名，则务胜于曾参周公孔子，亦见其惑也！夫周公孔子曾参卒不可胜，胜周公孔子曾参乃比于宦官宫妾，则是宦官宫妾之孝于其亲，贤于周公孔子曾参者耶？

【注释】

①李贺：字长吉，唐代著名诗人，有"诗鬼"之称，有《雁门太守行》《李凭箜篌引》等名篇，著有《昌谷集》。早年本赴长安应进士举，有妒才者非议其参加进士考试是不避父讳之举，终身未能参加进士考试，只做过奉礼郎之类的小官。

②进士：指唐代科举制度中的进士科。唐代凡应试者谓之举进士，中试者皆称进士。

③毁：毁谤，非议。

④皇甫湜（shí）：唐代文学家，字持正，元和年间进士，曾师从韩愈。

⑤偏讳：指二字之名在用到其中某一字时不用避讳。

⑥"谓若"二句：孔子的母亲名"徵在"，孔子在说"徵"时不连用"在"，在说"在"时不连用"徵"。《论语·八佾》中孔子曾说"杞不足徵也……宋不足徵也"，《论语·卫灵公》中又说"某在斯"，皆不避讳。

⑦嫌名：与名字中所用字声音相近的字。音近则有称名之嫌。嫌，嫌疑，怀疑有某种可能性。

⑧蓲(qiū)：与"丘"同音，初生的芦苇。

⑨法制：礼法制度。

⑩周公作诗不讳：《诗经·周颂》中的《噫嘻》与《雍》等篇，相传为周公所作，其中有"骏发尔私""克昌厥后"等句，而周公之父文王名昌，周公之兄武王名发，周公作此二诗时不避父兄名讳。

⑪《春秋》不讥不讳嫌名：《春秋》对不避讳音近字的这类现象并没有加以讥讽。讥，讥讽，非难。

⑫"康王"二句：周康王名钊，其子继位，谥号昭王。"昭"与"钊"同音，《春秋》对此未提出异议。本文称昭王为康王之孙，疑误。

⑬"曾参"二句：曾参，即曾子，字子舆，孔子的弟子。其父曾点，字皙。《论语·泰伯》中曾子有"昔者吾友尝从事于斯矣"之语，"昔"与"皙"同音，曾子并不避讳。

⑭骐(qí)期：春秋时楚国人。

⑮杜度：东汉章帝时人，字伯度。

⑯汉讳武帝名彻为通：汉武帝名刘彻，当时为避讳，将"彻侯"改为"通侯"，"蒯彻"改为"蒯通"。

⑰讳吕后名雉为野鸡：汉高祖刘邦之妻名吕雉，当时为避讳，改称"雉"为"野鸡"。

⑱"不闻"句：唐太祖名虎，"浒"与"虎"同音。唐太宗名世民，"势"与"世"同音。唐世祖名昞，"秉"与"昞"同音。唐玄宗名隆基，"饥"与"基"同音。

⑲"惟宦官"句：唐代宗名豫，"谕"与"豫"同音。唐玄宗名隆基，"机"与"基"同音。

⑳质：对照。

㉑稽：考核，核查。

【译文】

我写信给李贺，鼓励他去考进士。李贺参加进士考试很引人注目，同他争夺名次的人就诋毁他说："李贺父亲名叫晋肃，李贺不去参加进士考试才对，勉励他应举的人是不对的。"听到这种议论的人没有细加察辨，就随声附和，众口一词。皇甫湜对我说："如果不辩明这件事，你和李贺都将获罪。"我答说："是的。"

礼制规定说："两个字的名字不用对两个字都避讳。"解释的人说："这就像孔子的母亲名叫'徵在'，说'徵'字时就不说'在'，说'在'字时就不说'徵'。"礼制又规定说："不避讳声音相近的字。"解释的人说："这是说像'禹'字和'雨'字，'丘'字和'蓲'字之类。"如今李贺的父亲名叫晋肃，李贺去参加进士考试，是犯了两个字的名字只需避讳一个的礼法呢，还是犯了不避讳声音相近字的礼法呢？父亲名叫晋肃，儿子就不能考进士，如果父亲名"仁"，儿子就不能做人了吗？

避讳是从什么时候开始的？创立礼法制度来教化天下的人，不就是周公、孔子吗？周公作诗不避讳，孔子也不避讳母亲双名中的单独一字，《春秋》对不避讳读音相近字的这类现象，并没有加以讥讽。周康王钊的孙子，谥号为昭王。曾参的父亲名叫皙，曾参并不避讳"昔"字。周朝时有个人名叫骐期，汉朝时有个人叫杜度，他们的子女应当怎样避讳呢？是为了避讳和父亲名字音近的字，就连他们的姓也避讳呢，还是不用避讳和父亲名字音近的字呢？汉代为了避讳武帝的名，就将"彻"改为"通"，但是没有听说又为了避讳，改车辙的"辙"为别的什么字。为了避讳吕后的名，改"雉"为"野鸡"，但是没有听说又为了避讳，改治天下的“治”为别的什么字。如今呈给皇帝的奏章和皇帝下的诏书，也没听说要避讳“浒”“势”“秉”“饥”这些字。只有宦官和宫女，才不敢说“谕”和“机”字，他们认为说了这几个字就是触犯皇上。士大夫的言论行动，应当遵守什么礼法呢？现在考据经典，对照礼法，考核国家典章，李贺去参加进士考试，到底是可以还是不可以呢？

凡是侍奉父母能够做到像曾参那样，就可以不受指责了。做人能够像周公、孔子那样，也可以说是到极致了。现在的读书人，不去学习曾参、周公、孔子的品行，却在避讳亲人的名字上去超越曾参、周公、孔子，可见他们的糊涂。周公、孔子、曾参毕竟是无法超过的，要是在避讳上超过周公、孔子、曾参，就和宦官宫女一样了。这些宦官宫女对他们亲人的孝顺，能比周公、孔子、曾参还好吗？

【题解】

本文选自《昌黎先生集》卷十三。韩愈通过对《左传》中记录的子产德行政绩的反复颂赞，加之周朝从善如流与阻塞言路引起兴与亡的正反两方面例证，借古喻今，抒发了对当政者忌言讳贤、闭塞视听、一意孤行状况的忧虑，以及感时忧世的沉重心情。

子产不毁乡校颂

【原文】

我思古人，伊郑之侨[①]。以礼相国，人未安其教，游于乡之校[②]，众口嚣嚣[③]。或谓子产："毁乡校则止。"曰："何患焉，可以成美，夫岂多言，亦各其志。善也吾行，不善吾避，维善维否，我于此视。川不可防[④]，言不可弭[⑤]，下塞上聋[⑥]，邦其倾矣。"既乡校不毁，而郑国以理[⑦]。

在周之兴，养老乞言[⑧]；及其已衰，谤者使监[⑨]。成败之迹，昭哉可观。维是子产，执政之式[⑩]，维其不遇，化止一国。诚率是道[⑪]，相天下君，交畅旁达，施及无垠[⑫]。於乎！四海所以不理，有君无臣，谁其嗣之[⑬]，我思古人！

【注释】

①伊：发语词。侨：子产名侨，郑穆公之孙，春秋时期郑国相。郑人游乡校以论执政，然明主张毁掉，子产不从，事见《左传·襄公三十一年》。

②乡之校：乡校指古时乡间的公共场所，既是学校，又是乡人聚会议事的地方。
③嚣嚣：言语纷纭的样子。
④防：堵塞。
⑤弭：平息，止息。
⑥下塞上聋：堵塞了下面的言论，在上位的执政人员就成了聋子。
⑦理：治理。
⑧养老乞言：周朝兴盛的时候，曾奉养一些年老而有声望的人，需要的时候请他们对国家政治提出意见。
⑨谤者使监：周厉王暴虐无道，国人批评他，他就派卫巫监视批评他的人。谤者，指批评国政的人。
⑩式：范式，榜样。
⑪率：遵循。
⑫施（yì）：扩展，延续。垠：界限。
⑬嗣：继承。子产从政三年，舆人诵之曰："我有子弟，子产诲之。我有田畴，子产殖之。子产而死，谁其嗣之？"（《左传·襄公三十年》）

【译文】

我所怀念的古时候的人，是郑国的大夫子产。他用礼法来治理国家，人们还不习惯他的教化。在乡校游学时，议论纷纷。有人向子产建议："毁掉乡校就可以停止这些议论。"子产说："这有什么可担心的呢？我们可以把它变成好事啊。怎能说是议论多了呢，他们不过是各自陈述自己的看法罢了。好的我就实行，不好的我就避免。是好还是坏，我从乡校里就可以看出来。江河流水不能堵塞，言论不能止息。堵塞了下面的言论，在上位的执政人员就成了聋子，国家政权就要危亡了!”乡校没有被毁掉,因此郑国得以治理好。

在周朝兴盛时期,奉养老人请他们对国家政治提出意见。等到周朝衰落的时候,派人监视指责国家政治的人。周朝成功失败的历史轨迹,可以明白清楚地看到了。这位子产大夫,是执政者的榜样。只是他没有遇到贤明的君主,教化只能限于郑国之内。假如都能遵循子产的治国方法,辅佐统治天下的君主,能够普遍地贯彻推行,就可以扩展到广阔无垠的境界。唉!天下之所以没有治理好,是因为虽有统一的君主却没有像子产那样的贤臣,谁能继承子产呢?我怀念这位古代的贤人。

【题解】

本文选自《昌黎先生集》卷十二，属寓言体的人物传记。文中塑造了一个自食其力、安于贫贱、量力行事、不贪婪、不行恶、不患得患失的底层泥瓦匠形象，借此鞭挞不劳而获、尸位素餐、纵情享乐的达官显贵们。本篇借传立说，夹叙夹议，开后世传记文学为小人物著说立传之先河。

圬者王承福传[①]

【原文】

圬之为技，贱且劳者也。有业之，其色若自得者。听其言，约而尽[②]。问之："王其姓，承福其名，世为京兆长安农夫[③]。天宝之乱[④]，发人为兵，持弓矢十三年，有官勋[⑤]。弃之来归，丧其土田，手镘衣食[⑥]。余三十年，舍于市之主人[⑦]，而归其屋食之当焉[⑧]。视时屋食之贵贱，而上下其圬之，佣以偿之，有余，则以与道路之废疾饿者焉。"

又曰："粟，稼[⑨]而生者也；若布与帛，必蚕绩而后成者也[⑩]。其他所以养生之具，皆待人力而后完也，吾皆赖之。然人不可遍为，宜乎各致其能以相生也。故君者，理我所以生者也[⑪]；而百官者，承君之化者也。任有小大，惟其所能，若器皿焉。食焉而怠其事，必有天殃[⑫]，故吾不敢一日舍镘以嬉。夫镘易能可力焉，又诚有功。取其

直[13]，虽劳无愧，吾心安焉。夫力易强而有功也[14]，心难强而有智也。用力者使于人，用心者使人，亦其宜也。吾特择其易为而无愧者取焉[15]。嘻！吾操镘以入贵富之家有年矣，有一至者焉，又往过之，则为墟矣，有再至三至者焉，而往过之，则为墟矣。问之其邻，或曰：'噫！刑戮也。'或曰：'身既死而其子孙不能有也。'或曰：'死而归之官也。'吾以是观之，非所谓食焉怠其事而得天殃者邪！非强心以智而不足，不择其才之称否而冒之者邪[16]！非多行可愧，知其不可而强为之者邪！将贵富难守，薄功而厚飨之者邪[17]？抑丰悴有时[18]，一去一来，而不可常者邪？吾之心悯焉，是故择其力之可能者行焉。乐富贵而悲贫贱，我岂异于人哉！"

又曰："功大者，其所以自奉也博。妻与子，皆养于我者也，吾能薄而功小，不有之可也。又吾所谓劳力者，若立吾家而力不足，则心又劳也。一身而二任焉[19]，虽圣者不可能也。"

愈始闻而惑之，又从而思之，盖贤者也，盖所谓独善其身者也[20]。然吾有讥焉，谓其自为也过多，其为人也过少，其学杨朱之道者邪[21]？杨之道，不肯拔我一毛而利天下[22]。而夫人以有家为劳心[23]，不肯一动其心以畜其妻子[24]，其肯劳其心以为人乎哉！虽然，其贤于世之患不得之而患失之者[25]，以济其生之欲，贪邪而亡道[26]，以丧其身者，其亦远矣！又其言有可以警余者，故余为之传而自鉴焉。

【注释】

①圬：粉刷墙壁。

②约而尽：简明而透彻。

③京兆长安：唐代京都长安属京兆府，故称京兆长安。

④天宝之乱：唐玄宗天宝十四载(755)始，边将安禄山、史思明相继起兵叛乱，前后历时七年之久，史称“安史之乱”。玄宗曾命荣王李琬为元帅，在京师招募士兵十一万讨伐安禄山。

⑤官勋：官家授予的职级和勋位。唐制，有功劳者授予官勋。安史之乱后，此类官勋并无实际价值。

⑥手：拿起，操持。镘(màn)：粉刷墙壁的工具。

⑦市之主人：这里指雇主。

⑧屋食：房租和伙食费。当：相当的价值。

⑨稼：耕种，种植。

⑩蚕绩：养蚕和纺织。

⑪理：治。因避唐高宗李治的名讳，以“理”代“治”。

⑫天殃：上天降下的灾祸。

⑬直：价值，这里指报酬。

⑭强：勉强，强行。

⑮特：不过，仅仅。

⑯称：相称，适合。

⑰飨：通“享”，享受。

⑱抑：还是。丰悴：兴盛和衰败。

⑲二任：指劳力又劳心。

⑳独善其身：指保持个人节操。语出《孟子·尽心上》：“穷则独善其身，达则兼善天下。”

㉑杨朱之道：杨朱，字子居，战国时期哲学家、思想家，杨朱学派的创始人，主张“为我”等利己思想。

㉒不肯拔我一毛而利天下：语出《孟子·尽心上》：“杨子取为我，拔一毛而利天下，不为也。”

㉓夫人：这个人，指圬者。

㉔畜：养。

㉕患不得之而患失之：语出《论语·阳货》：“鄙夫可与事君也与哉？其未得之也，患得之；既得之，患失之。苟患失之，无所不至矣。”

㉖亡：通“无”。

【译文】

粉刷墙壁作为一种手艺，既卑贱又劳苦。可有个从事这项职业的人，他的神色却显得自在满足。听他说话，简明而透彻。问他，说是姓王，名叫承福，祖祖辈辈是京都长安的农民。天宝年间安史之乱的时候，朝廷征召百姓当兵，他手拿弓箭参加战争十三年，得到了官职和功勋，可他却放弃这些回到家乡。家里的土地已经没有了，于是他拿起泥刀来谋求衣食。这三十多年来，他住在街市里的雇主家中，付给主人相当数目的房租和饭钱。根据当时房租、伙食费的贵贱，上下调整他抹墙的佣金来偿还给主人。若有多余的钱，就把它施舍给路上的残疾人、患病者和饥饿的人。

他还说：“谷子是经过耕种而后生长的。至于麻布和丝绸，一定要养蚕纺织才能得到。其他用来维持生计的东西，都是靠人力制造出来的，我全都要依赖这些来生存。但是人不可能所有的事情都自己来做，应当各尽其能，互通有无来生活。因此，君主是治理我赖以生活的社会的人，各级官吏是辅佐君主推行教化的人。责任有大有小，根据他们的能力来决定，就像容器有大有小各有用途一样。吃着粮食却懒于做事，一定会有天灾，因此我一天都不敢放下泥刀去玩乐。抹灰涂墙是简单的技能，可以凭力气去做。又确实有效果，收取相当的报酬，虽然辛苦却没什么惭愧，我心安理得。体力容易强行发挥并取得成效，而心智就难以强行使它变得聪明了。使用体力的人被人役使，使用脑力的人役使别人，这也是理所应当的。我仅仅是挑那些容易做却又无愧于心的事情来干罢了。唉，我拿着泥刀进出富贵人家已经有很多年了。有的人家曾经到过一次，后来再路过就已经变成废墟了；有的人家曾到过两次三次，后来再经过那里，也已变为废墟了。向他们的邻居询问原因，有人说：'唉，房主因犯罪被处死了。'有的说：'主人已经死了，他的子孙不能保住家业啊。'有的说：'主人死后，财产没入官府了。'我由此看出，这不正是所说的吃着粮食而对其职业怠惰，遭到上天惩罚的那种情况吗？这不正是勉强地用尽心力，而智慧不足，不考虑他的才能是否与职业相称，不顾一切后果冒险行事的情况吗？这不正是干了许多问心有愧的事，明知那样做不可以，却要勉强去做的情况吗？是富贵难以守住，微薄的功劳反而能得到丰厚的享受呢？还是兴旺和衰败有一定的时运，一来一去不能经常不变？我心中怜悯这些人，因此选择我力所能及的事情来做。为富贵而高兴，为贫贱而忧愁，我难道与别人有什么不同吗？”

还说：“功劳大的人，自身日常生活的供养就丰厚。妻子儿女都是要靠我养活的，我能力微薄、功劳又小，不要妻子儿女也可以吧。再说我是所谓从事劳力的人，假如成了家可力量不够，那么心就要劳苦了。一个人承担着劳力、劳心两份任务，即使是圣人也不可能做到啊。”

开始我听到这些话感到困惑不解，接着又进一步思考了下，这个人大概是一位贤人，或许是人们所说的独善其身的人。然而我对他还是有所批评的，认为他为自己考虑得太多，为他人考虑得太少。他也许是学习杨朱学说的人吧。杨朱的学说，就是不肯拔自己一根毫毛来为天下谋利。这个人认为有家室就是劳心，不肯费一点心来养活他的老婆孩子，难道他肯为别人劳心做事吗？虽然如此，他的贤德远远超过世界上那些患得患失，为满足自己生活中的欲望，贪婪奸邪、丢弃道义，以致丢掉性命的人！他的话有能警醒我的地方，因此我给他立传，自己引为借鉴。

【题解】

本文选自《昌黎先生集》卷十三。文章记述了燕喜亭开掘、修建的过程及其周围秀美奇特的瑰丽景色，接着交代了为此处山水、亭阁命名之义，融山水游记与颂体文章为一体。文中通过刻画景物，将山水之美和君子之德契合无间地结合起来，以山水精华映衬出人物的高尚品德。

燕喜亭记[①]

【原文】

太原王弘中在连州[②]，与学佛人景常、元慧游。异日，从二人者行于其居之后，丘荒之间，上高而望，得异处焉。斩茅而嘉树列[③]，发石而清泉激[④]，辇粪壤[⑤]，燔椔翳[⑥]。却立而视之，出者突然成丘，陷者呀然成谷[⑦]，洼者为池，而缺者为洞，若有鬼神异物阴来相之[⑧]。自是，弘中与二人者晨往而夕忘归焉，乃立屋以避风雨寒暑。

既成，愈请名之。其丘曰俟德之丘[⑨]，蔽于古而显于今，有俟之道也。其石谷曰谦受之谷[⑩]，瀑曰振鹭之瀑[⑪]，谷言德，瀑言容也。其土谷曰黄金之谷，瀑曰秩秩之瀑[⑫]，谷言容，瀑言德也。洞曰寒居之洞，志其入时也。池曰君子之池，虚以钟其美，盈以出其恶也。泉之源曰天泽之泉，出高而施下也。合而名之以屋曰燕喜之亭，取《诗》所谓"鲁侯燕喜"者颂也[⑬]。

于是州民之老闻而相与观焉，曰："吾州之山水名天下，然而无与燕喜者比。经营于其侧者相接也，而莫直其地⑭。凡天作而地藏之以遗其人乎！"弘中自吏部郎贬秩而来⑮，次其道途所经：自蓝田入商洛⑯，涉淅湍⑰，临汉水⑱，升岘首以望方城⑲；出荆门⑳，下岷江㉑，过洞庭㉒，上湘水㉓，行衡山之下㉔；由郴逾岭㉕，猿狖所家㉖，鱼龙所宫，极幽遐瑰诡之观㉗，宜其于山水饫闻而厌见也㉘。今其意乃若不足。《传》曰："智者乐水，仁者乐山㉙。"弘中之德，与其所好，可谓协矣！智以谋之，仁以居之，吾知其去是而羽仪于天朝也不远矣㉚。遂刻石以记。

【注释】

①燕喜亭：遗址在今广东连州市北郊风景秀丽的燕喜山麓。

②王弘中：名仲舒，今山西太原人，自幼好学，善于写诗作文。连州：唐代连州治所在桂阳，即今广东连州市。当时，王弘中从吏部员外郎贬为连州司户参军，韩愈由监察御史贬为连州阳山令，阳山为连州属县。

③嘉树：秀美的树木。嘉，善，美。

④发：掀开，拨开。激：水势受阻遏后腾涌或飞溅。

⑤辇：拉车运送。粪壤：这里指污秽的土壤。

⑥燔（fán）：焚烧。椔（zī）翳（yì）：泛指枯木杂树。椔，直立着的枯木。翳，枯死并倒伏在地的树木。

⑦呀然：裂开的样子。

⑧相：帮助。

⑨俟德：指有耐心等待的道德涵养。俟，等待。

⑩谦受：语出《尚书·虞书·大禹谟》："满招损，谦受益。"

⑪振鹭：语出《诗经·周颂·振鹭》："振鹭于飞，于彼西雍。"

⑫秩秩：有智慧的样子。

⑬鲁侯燕喜：语出《诗经·鲁颂·閟宫》："鲁侯燕喜，令妻寿母。宜大夫庶士，邦国是有。既多受祉，黄发儿齿。"原为赞美鲁僖公家庭和美、国家强盛、多福多寿，在此也取祝福的意思。

⑭直：认识到某物的价值。

⑮贬秩：降级，贬职。

⑯蓝田：县名，唐代属京兆府，今陕西蓝田。商洛：古地名，商县和上洛县的合称，今陕西商洛一带。

⑰淅：淅水，又名析水，发源于河南西南部，至淅川县入丹江。湍：湍水，源出河南内乡县熊耳山。

⑱汉水：源出陕西，流经鄂北多县，至汉阳汇入长江。

⑲岘(xiàn)首：岘山，在今湖北襄阳。方城：山名，在今河南方城。

⑳荆门：山名，在今湖北宜都。

㉑岷江：古称汶江或都江，以岷山导江而得名。

㉒洞庭：湖名，在今湖南北部，古称云梦、九江或重湖，因湖中洞庭山(今君山)而得名。

㉓湘水：源出广西，流入湖南，至湘阴入洞庭湖。

㉔衡山：南岳衡山，在今湖南衡阳。

㉕郴：唐代州名，治所在今湖南郴州。岭：指"五岭(或称南岭)"之一的骑田岭。

㉖猿狖(yòu)：猿猴。

㉗幽遐瑰诡之观：幽僻荒远之地的瑰丽、怪异的景观。

㉘饫(yù)：饱，足。

㉙智者乐水，仁者乐山：语出《论语·雍也》："知者乐水，仁者乐山。知者动，仁者静。知者乐，仁者寿。"

㉚羽仪：语出《周易·渐卦》："鸿渐于陆，其羽可用为仪，吉。"这里喻指王弘中必将受朝廷重用。

【译文】

太原人王弘中在连州的时候，和学佛的人景常、元慧一起游玩。有一天，他跟从那两个人走到住处的后面，来到山丘荒原当中，登上高处眺望，发现一个不同寻常的地方。他们砍断茅草，看到秀美的树木整齐地排列着，掀开石头，清澈的泉水奔涌而出，用车运走脏土，烧掉枯死的树木。退到远处站着看：突出的地方耸立成山丘，低陷的地方裂开成山谷，低洼的地方成为池塘，豁口的地方成为洞穴；好像有鬼神一类怪异的东西暗中帮助造成的。从这以后，王弘中和那两个人早上到那儿去，以至于晚上忘记回家，于是在那里建了所房子来躲避风雨寒暑。

建成以后，我请求为它们命名。山丘叫"俟德之丘"，古代隐蔽着，现在显露出来，这是有所等待的表示；石谷叫"谦受之谷"，瀑布叫"振鹭之瀑"，石谷说的是它的德行，瀑布说的是它的形状；土谷叫"黄金之谷"，瀑布叫"秩秩之瀑"，土谷说的是它的形状，瀑布说的是它的德行；山洞叫"寒居之洞"，记述进洞的时间；水池叫"君子之池"，空虚水少的时候聚集自己的美德，满溢的时候排出自己的丑恶；泉水的源头叫"天泽之泉"，它从高处流出来而布施下边。将这些景观合到一起为这座亭屋命名为"燕喜之亭"，选择《诗经》所说的"鲁侯燕喜"来歌颂它。

于是这个州的父老乡亲听说后都结伴来观赏，说："我们州的山水天下闻名，但是还没有能够和‘燕喜亭’相比的。在它旁边营造房屋的人连续不断，却没有人认识到这块地方的价值。这大概是上天创造出而大地将它隐藏起来，把它送给合适的那些人吧？”王弘中从吏部郎贬职来到这里，列举他路途中依次经过的地方：从蓝田进入商洛，渡过淅水、湍水，来到汉水边，登上岘山山顶，遥望方城；出了荆门，顺岷江而下，穿过洞庭，顺湘江而上，走到衡山脚下；从郴州翻越山岭，猿猴居住的大山，鱼龙藏身的江河，看尽了幽僻荒远之地的瑰丽、怪异的景观，他对于山水应该已经听够了，看腻了。如今他游览燕喜亭却好像还是不满足。《论语》中说：“智慧的人喜欢水，仁义的喜欢山。”王弘中的品德和爱好，可以说是十分协调的。他用智慧来谋划修建燕喜亭，凭借仁爱之心在此居住游息，我由此知道他离开连州被朝廷起用的时候也不远了。于是写下这篇题记刻在石头上。

【题解】

本文选自《昌黎先生集》卷十三。韩愈借用“壁记”体式，淋漓尽致地反映了唐代官场积弊。他针对县丞一职形同虚设的现象，用白描的手法无情地揭露了官场内部的腐朽和黑暗。文章短小精悍，寓庄于谐，是一则生动且意味深长的政治讽刺小品。

蓝田县丞厅壁记[1]

【原文】

丞之职，所以贰令[2]，于一邑无所不当问。其下主簿[3]、尉[4]，主簿、尉乃有分职。丞位高而逼[5]，例以嫌不可否事[6]。文书行，吏抱成案诣丞，卷其前，钳以左手，右手摘纸尾，雁鹜行以进[7]，平立睨丞曰[8]：“当署！”丞涉笔占位[9]，署惟谨，目吏，问：“可不可？”吏曰“得”，则退，不敢略省[10]，漫不知何事[11]。官虽尊，力势反出主簿、尉下。谚数慢[12]，必曰丞，至以相訾謷[13]。丞之设，岂端使然哉[14]！

博陵崔斯立[15]，种学绩文[16]，以蓄其有，泓涵演迤[17]，日大以肆[18]。贞元初，挟其能，战艺于京师[19]，再进再屈于人[20]。元和初，以前大理评事言得失黜官[21]；再转而为丞兹邑[22]。始至，喟曰：“官无卑，顾材不足塞职[23]。”既噤不得施用[24]，又喟曰：“丞哉！丞哉！余不负丞，而丞负余！”则尽蘖去牙角[25]，一蹑故迹[26]，破崖岸而为之[27]。

丞厅故有记，坏漏，污不可读，斯立易桷与瓦[28]，墁治

壁[29]，悉书前任人名氏。庭有老槐四行，南墙巨竹千梃，俨立若相持，水㶁㶁循除鸣[30]，斯立痛扫溉，对树二松，日哦其间[31]。有问者，辄对曰："余方有公事，子姑去！"

考功郎中知制诰韩愈记[32]。

【注释】

①蓝田：县名，唐代属京兆府，今陕西蓝田。县丞：县令的副职。

②贰令：副贰，辅佐。这里指县令的副职。令，县令。唐制，京都旁的各县称为畿县（蓝田即为畿县），设置县令一人，县丞一人，县丞辅佐县令。

③主簿：掌管文书、办理事务的属官。

④尉：古代掌管军事或刑狱的官吏。

⑤逼：接近，迫近。

⑥例以嫌不可否事：按照常例为了避免侵权的嫌疑，对公事不置可否。

⑦雁鹜行以进：像鹅和鸭子一样排成行向前走。鹜，鸭子。

⑧睨：斜着眼睛看。

⑨涉笔：动笔。占位：观察应当署名的位置。

⑩略省：稍微察看（公文的内容）。

⑪漫：完全，全然。

⑫谚数慢：俗话提到闲散无权的官员时。数，数说，列举。慢，散漫，这里指闲散的官员。

⑬訾謷（áo）：诋毁，毁谤。

⑭端：本来。

⑮博陵：地名，一说在今河北定州。崔斯立：名立之，与韩愈颇有

交情。

⑯种学绩文：以耕田织布比喻勤学苦练、积累知识。绩，缉线，把麻搓成绳或线。

⑰泓涵演迤：包罗宏深，境界广阔。这里指学识修养深厚而又广博。

⑱日大以肆：每天都在进步，并且逐步显露出来。肆，延伸，扩展。

⑲战艺：以文艺与人较量。指参加科举考试。

⑳再进：崔斯立于贞元四年登进士第，贞元六年又中博学宏词科。再屈于人：两次名列前茅，出人头地。屈，使……屈服。于，或作“千”。

㉑大理评事：大理寺官名，掌管刑罚。言得失：上疏议论朝政得失。黜官：被贬官。

㉒再转：两次迁谪。兹邑：指蓝田县。

㉓顾：反而。塞职：称职。

㉔噤：闭口不言。

㉕蘖(niè)去牙角：去掉牙和角。比喻收起锋芒棱角。

㉖一蹑故迹：完全按照过去的规矩行事。

㉗崖岸：比喻做事的原则界限。

㉘桷：方形的椽子。

㉙墁：涂抹，粉饰。

㉚虢(guó)虢：水流声。除：台阶。

㉛哦(é)：吟咏。

㉜考功郎中：官名，属吏部，掌管文武官员的考核等事项。知制诰：官名，掌管草拟诏令文书，原为中书舍人的职责。韩愈当时是以考功郎中兼知制诰。

【译文】

县丞的职务是辅佐县令，对于县内的事情没有什么是不应当问的。县丞以下还有主簿、县尉，主簿、县尉有各自分管的事项。县丞官位高得接近县令，按照常例为了避免侵权的嫌疑，对公事不置可否。要发公文时，县吏抱着已经处理好的案卷走到县丞那里，卷起文件的前面部分，用左手夹住它，右手选出公文的末端，像鹅和鸭子一样排成行向前走进厅里，挺身站立，斜眼看着县丞说："应当签这个地方。"县丞拿起笔在签名的位置写上名字，显得小心谨慎。抬头望着县吏问："这样行不行?"县吏答说："行了。"便退了下去。县丞不敢稍微察看一下公文的内容，完全不知道文书写的什么事情。县丞的官位虽然尊贵，权利反而在主簿、县尉之下。俗话提到闲散无权的官员时，一定说到县丞，甚至把县丞当作诋毁讥讽的话题。难道当初设置县丞这个职位，本意就是如此吗?

博陵人崔斯立，勤学苦练，为的是积累学问修养。他的学识像大江那样深厚而又广博，源远流长，每天都在进步，并且逐步显露出来。贞元初年，他依仗着自己的才能，在京城参加科举考试，两次中第，两次压倒众人。元和初年，因为在担任大理评事时，议论朝政得失而被贬官，经过两次调迁后做了这里的县丞。他刚到任时，感叹说："官职不论大小，只怕自己的才能不称职。"后来在事事不能过问而且才干无所施展的现实面前，又感叹说："县丞啊，县丞啊！我没有辜负这个职位，这个职位却辜负了我！"于是便完全收起锋芒，一切遵照老规矩，丢掉为人的操守，附和别人行事。

县丞厅堂里原来有一篇壁记，因为房屋损坏漏雨，字迹污损，已经无法识读了。崔斯立重新更换椽子和屋瓦，粉刷修整好墙壁，把从前蓝田县丞们的姓名全都写在上面。庭院里有四行老槐树，南墙边有千棵大竹子，整齐地挺立着好像互相对峙，水流汩汩，绕着台阶响腾。崔斯立把庭院彻底地清扫洗涤了一番，左右相对栽上两颗松树，每天在树下吟诗。有向他问事的人，他就回答说：“我正有公事，您暂且离开吧。”

考功郎中、知制诰韩愈记述。

【题解】

本文选自《昌黎先生集》卷十三。韩愈感愤于张巡、许远等人在国家危亡之际坚持抗敌、挺身就义，而此后却有人对他们的忠勇行为进行诋毁非议的现况，为了给张、许等人辩诬洗冤，并彰显英雄们的卓著功勋和高尚节操，痛斥那些奸佞小人，于是在安史之乱四十年后写了这篇后叙。

《张中丞传》后叙①

【原文】

元和二年四月十三日夜②，愈与吴郡张籍阅家中旧书③，得李翰所为《张巡传》④。翰以文章自名⑤，为此传颇详密，然尚恨有阙者⑥，不为许远立传⑦，又不载雷万春事首尾⑧。

远虽材若不及巡者，开门纳巡⑨，位本在巡上⑩，授之柄而处其下，无所疑忌，竟与巡俱守死，成功名。城陷而虏，与巡死先后异耳。两家子弟材智下⑪，不能通知二父志⑫，以为巡死而远就虏，疑畏死而辞服于贼。远诚畏死，何苦守尺寸之地，食其所爱之肉⑬，以与贼抗而不降乎！当其围守时，外无蚍蜉蚁子之援⑭，所欲忠者，国与主耳，而贼语以国亡主灭⑮，远见救援不至，而贼来益众，必以其言为信。外无待而犹死守，人相食且尽⑯，虽愚人亦能数日而知死处矣，远之不畏死亦明矣。乌有城坏而

其徒俱死，独蒙愧耻求活[17]，虽至愚者不忍为。呜呼，而谓远之贤而为之邪！

说者又谓远与巡分城而守[18]，城之陷自远所分始，以此诟远，此又与儿童之见无异。人之将死，其藏腑必有先受其病者[19]；引绳而绝之[20]，其绝必有处。观者见其然，从而尤之[21]，其亦不达于理矣！小人之好议论，不乐成人之美如是哉！如巡、远之所成就，如此卓卓[22]，犹不得免，其他则又何说！

当二公之初守也，宁能知人之卒不救[23]，弃城而逆遁[24]，苟此不能守，虽避之他处何益。及其无救而且穷也，将其创残饿羸之余[25]，虽欲去，必不达。二公之贤，其讲之精矣[26]。守一城，捍天下，以千百就尽之卒[27]，战百万日滋之师[28]，蔽遮江淮，沮遏其势[29]。天下之不亡，其谁之功也？当是时，弃城而图存者，不可一二数，擅强兵坐而观者相环也，不追议此，而责二公以死守，亦见其自比于逆乱，设淫辞而助之功也[30]。

愈尝从事于汴徐二府[31]，屡道于两府间，亲祭于其所谓双庙者，其老人往往说巡、远时事云：南霁云之乞救于贺兰也[32]，贺兰嫉巡、远之声威功绩出己上，不肯出师救，爱霁云之勇且壮，不听其语，强留之。具食与乐，延霁云坐，霁云慷慨语曰："云来时，睢阳之人不食月余日矣[33]，云虽欲独食，义不忍！虽食，且不下咽！"因拔所佩刀断一指，血淋漓以示贺兰。一座大惊，皆感激为云泣下。云知贺兰终无为云出师意，即驰去。将出城，抽矢射佛寺浮图[34]，矢著其上砖半箭，曰："吾归破贼，必灭贺兰，此矢所以志也!”愈贞元中过泗州[35],船上人犹指以相语:城陷,贼以刃胁降巡,巡不屈,即牵去,将斩之。又降霁云,云未应,巡呼云曰:“南八[36]! 男儿死耳,不可为不义屈!”云笑曰:“欲将以有为也,公有言,云敢不死!”即不屈。

张籍曰:有于嵩者,少依于巡;及巡起事,嵩常在围中[37]。籍大历中于和州乌江县见嵩[38],嵩时年六十余矣,以巡,初尝得临涣县尉[39],好学,无所不读。籍时尚小,粗问巡、远事,不能细也。云:巡长七尺余,须髯若神[40]。尝见嵩读《汉书》,谓嵩曰:“何为久读此?”嵩曰:“未熟也。”巡曰:“吾于书,读不过三遍,终身不忘也。”因诵嵩所读书,尽卷不错一字。嵩惊,以为巡偶熟此卷,因乱抽他帙以试[41],无不尽然。嵩又取架上诸书试以问巡,巡应口诵无疑。嵩从巡久,亦不见巡常读书也。为文章,操纸笔立书,未尝起草。初守睢阳时,士卒仅万人,城中居人(户)亦且数万,巡因一见问姓名,其后无不识者。巡怒,须髯辄张。及城陷,贼缚巡等数十人,坐;且将戮,巡起旋[42],其众见巡起,或起或泣,巡曰:“汝勿怖! 死,命也。”众泣不能仰视。巡就戮时,颜色不乱,阳阳如平常[43]。远宽厚长者,貌如其心。与巡同年生,月日后于巡,呼巡为兄。死时年四十九。

嵩,贞元初死于亳宋间[44]。或传嵩有田在亳宋间,武人夺而有之,嵩将诣州讼理,为所杀。嵩无子。张籍云。

【注释】

①张中丞:名巡,唐邓州南阳(今河南南阳)人。张巡本是真源(今河

南鹿邑)县令,安史之乱时,领兵在雍丘(今河南杞县)抗敌,后进睢阳与许远共同守城,坚守数月,直至牺牲。

②元和:唐宪宗年号。

③张籍:字文昌,唐代著名诗人,经韩愈举荐后进士及第,其乐府诗与王建齐名,并称“张王乐府”。

④李翰:赞皇(今属河北)人,累迁翰林学士,有文名。撰《张巡传》上呈肃宗,使肃宗明张巡之忠义。

⑤自名:自许。

⑥恨:遗憾。阙:缺陷,缺漏。

⑦许远:字令威,杭州盐官(今浙江海宁)人。安史之乱时,任睢阳太守,后与张巡合守孤城,城陷后被掳往洛阳,途中遇害。

⑧雷万春:张巡部下勇将。一说有误,当作“南霁云”。

⑨开门纳巡:肃宗至德二载,叛军安庆绪部将尹子奇带兵围困睢阳,许远向张巡告急,张巡率军入睢阳,与许远共同守城。

⑩位本在巡上:当时,许远为睢阳太守,张巡为真源县令,许远官阶高于张巡。

⑪两家子弟:指张巡之子张去疾及许远之子许岘。

⑫通知:完全理解。

⑬食其所爱之肉:尹子奇围困睢阳时,城中粮尽,张巡曾杀爱妾、许远曾杀奴仆以充军粮。

⑭外无蚍蜉蚁子之援:外面连极其微小的支援也没有。蚍蜉,一种蚂蚁,和“蚁子”都是微小之物。

⑮贼:指围困睢阳的尹子奇叛军。

⑯且:将要,快要。

⑰独蒙愧耻:独自蒙受羞愧耻辱。

⑱分城而守：张巡和许远分兵守城，张守东北，许守西南。
⑲藏腑：五脏六腑。
⑳引绳而绝之：把一根绳子拉断。绝，断。
㉑尤：责备，怪罪。
㉒卓卓：卓绝突出的样子。
㉓宁：岂，难道。卒：最终。
㉔逆遁：预先逃走。逆，预测，揣度。
㉕将其创残饿羸(léi)之余：带领那些受伤、残疾、饥饿、羸弱的残部。
㉖讲：指谋划守城事宜。
㉗就尽：濒临绝境。
㉘日滋：日益增长。
㉙沮(jǔ)遏：阻止，遏制。
㉚淫辞：夸大不实的言论。
㉛汴徐二府：韩愈曾先后在汴州(今河南开封)、徐州(今江苏徐州)任推官之职。
㉜南霁云：魏州顿丘(今河南清丰)人，唐朝名将，勇武过人。在安史之乱中协助张巡镇守睢阳，屡建奇功，睢阳城破，慨然就义。贺兰：复姓，这里指贺兰进明。
㉝睢(suī)阳：因地处古睢水之北而得名，在今河南商丘。
㉞浮图：寺院里的高塔。
㉟泗州：唐代州名，治所临淮县(今属江苏)。
㊱南八：这里指南霁云，因在家中排行第八，故称"南八"。
㊲常：或作"尝"，曾经。
㊳大历：唐代宗年号。和州：唐代县名，在今安徽和县。
㊴临涣：唐代县名。

㊵须髯(rán):络腮胡子。

㊶帙:书的卷册。

㊷旋:小便。

㊸阳阳:毫不在意,安详镇定的样子。

㊹亳(bó)宋:亳,亳州(今安徽亳州)。宋,宋州,治所在睢阳。

【译文】

元和二年四月十三日夜晚,我和吴郡人张籍一起翻阅家中的旧书,读到李翰写的《张巡传》。李翰因擅长写文章而闻名,作的这篇传记很周详、严密。但遗憾的是还有缺漏的地方,没有给许远写记,也没有记载雷万春事迹的始末。

虽然许远的才能似乎比不上张巡,但他主动打开城门接纳张巡,他的职位本来在张巡之上,却把城中指挥大权交给张巡而甘愿处在他的下位,没有任何疑虑猜忌,最后跟张巡共同坚守睢阳,成就了功业和名声。后来因城破而被俘虏,他跟张巡只是死难的时间先后不同而已。张、许两家的子弟才智低下,无法完全理解两位父辈的心志,认为张巡被杀而许远被俘,就怀疑许远怕死而向叛贼屈服。假如许远果真怕死,为何守着睢阳城这小小的地方,吃他所爱之人的肉充饥,与叛军抵抗而不投降呢?在他们被围守城的时候,外面连极其微小的支援也没有,所要效忠的对象,只是国家和君主罢了,然而叛贼却告诉他们国家灭亡君主已经死了。许远看到援军不来,而贼兵却越来越多,一定以为叛贼说的是真的。外边没有可等待的援兵还依然拼死守城,人吃人都快吃光了,即使是愚蠢的人也能计算着日子知道自己死期已近。许远不怕死是很明显的了!哪有城池被攻陷,部下全都战死,独自蒙受羞愧耻辱求得活命呢?即使是世上最愚蠢的人也不忍心这样做。唉！你说像许远这么贤明的人会做出这样的事吗？

议论的人又说，许远和张巡是分开防守睢阳城的，城被攻陷，叛军是从许远负责防守的地方开始攻入的，以此来诬陷许远，这种说法和小孩子的见识没什么两样。当一个人将死的时候，他的五脏六腑一定有一个部位先遭受疾病侵害；把一根绳子拉断，总会有个断开的地方。旁观的人见到这种情况，跟着就来怪罪那些出问题的地方，他们也太不明事理了！小人喜欢说长道短，不乐意成全别人的美名就像这样啊！像张巡、许远建立的功勋如此卓绝突出，还免不了受到别人的诋毁，至于其他的人，又会怎么说呢？

正当张、许二人开始守卫睢阳的时候，他们岂会知道别人最终不来救援，就丢下城池预先逃走呢？假若这个地方不能守住，即使躲避到别的地方又有什么好处？等到后来没有救兵而且困难到极点的时候，张、许二人带领那些受伤、残疾、饥饿、病弱的残余人员，即使想要离开睢阳，也是必定办不到的。以张、许二人的贤明，他们谋划得已经够周详了。守住一座城，捍卫着整个国家，凭借成百上千名濒临绝境的士兵，迎战上百万日益增多的敌兵，掩护了江淮流域，遏制了敌人进攻的势头，国家没有倾覆，这是谁的功劳！在那个时候，丢弃城池而谋求生存的人，多得不能一一列举；拥有强大的兵力而坐视不救的人，到处都是。不事后评议这些人的责任，却要责备张、许二人不该拼死守卫睢阳城，这也可以看出他们是站在叛臣贼子一边，编造些夸大不实的言论来帮助叛贼攻击他们。

我曾经在汴州、徐州节度使幕府中做过幕僚，多次从两州之间经过，亲自去双庙中祭吊过张、许二公。当地的老人常常说起张巡、许远的事迹。他们说，南霁云向贺兰进明乞求救兵时，贺兰进明忌妒张、许的声望、威信和功绩超过自己，不肯发兵援救。但他喜欢南霁云的英勇强壮，因此不听从他的意见，强行把他留下来，为他布置了酒食和歌舞，请南霁云入席就座。南霁云慷慨激昂地说："我从睢阳来时，睢阳城中的人已经一个多月吃不到粮食了。我即使想要单独进食，在道义上也不忍心；即使吃了也咽不下去！"于是他拔出佩刀，砍断了一根手指，鲜血淋漓，把它拿给贺兰进明看。所有在座的人大吃一惊，都被他感动得流下了眼泪。南霁云明白贺兰进明最终没有为他出兵的意思，就骑马疾驰而去。快要出城时，他抽出箭来射向寺庙中的佛塔，箭身射进砖里半截，他说："我回去打败叛贼后，一定要除掉贺兰进明，这支箭就用作标志。"我在贞元年间路过泗州，船上的人还指着佛塔告诉我。睢阳城被攻陷时，叛贼拿着刀胁迫张巡投降，张巡不屈服，叛贼就把他捆着拉走，准备处死。又要南霁云投降，南霁云还没有吱声，张巡向他喊道："南八，男子汉死就死，不能向不义的人屈服！"南霁云笑着说："我本来打算有所作为的，您有吩咐，我岂敢不死！"于是就不向叛贼投降。

张籍说：有个叫于嵩的人，年轻时就跟随着张巡。等到张巡起兵抵抗叛贼时，于嵩曾经在被围的睢阳城中。张籍大历年间在和州乌江县见到过于嵩，当时于嵩已经六十多岁了。他因张巡的关系，先前曾做过临涣县尉，他爱好学习，什么书都读。张籍当时年纪还小，只是粗略地询问过张巡、许远的事迹，不能细致地了解。他说，张巡身高七尺多，胡须长得像神仙一样。他曾经看见于嵩读《汉书》，就对于嵩说："为什么一直读这书？"于嵩说："还没有读熟。"张巡说："我读书不超过三遍就终身不忘。"于是就背诵于嵩所读的书，背完一卷不错一字。于嵩感到惊奇，以为张巡只是偶然熟悉这一卷，就随便抽出另外几卷来考问他，没有不是这样熟的。于嵩又取书架上的各种书试着问他,张巡随口背诵没有迟疑之处。于嵩跟随张巡的时间很长,也没有见他时常读书。张巡写文章,拿来纸笔立刻就写,从来不打草稿。刚开始守睢阳时,士兵有近万人,城里居住人口的户数也将近几万,张巡只要见过一次面询问过姓名的人,以后没有不认识的。张巡发怒的时候,胡须就都蓬开。等到睢阳城陷落后,叛贼捆住张巡等几十人,让他们坐着,准备杀害他们。张巡起身小便,他的部下见他站起,有的站起、有的哭泣。张巡说:"你们不要害怕,死是命中注定的。"大家痛哭流涕,不能抬头看他。张巡被杀时,脸色一点也不慌乱,安详镇定跟平时一样。许远是个宽厚老诚的人,相貌也和他的心肠一样质朴。他和张巡同年出生,月份和日子比张巡晚些,称张巡为兄长,死时四十九岁。

于嵩在贞元初年死在亳、宋之间。有人说于嵩在亳、宋一带有田产,被一个军人抢占了,于嵩准备到州衙去告状评理,却被军人杀害了。于嵩没有后代,以上是张籍所说。

书

【题解】

本文选自《昌黎先生集》卷十五。此文写于韩愈在徐州节度使幕中任职时，文中表达了对至交孟东野久别的思念，道出了心中的苦闷，谈及家事与朋友近闻，于千呼万唤中点出主题：盛情邀约，渴望与好友会晤共诉衷肠。通篇文字虽朴实无华，但感情深挚，胜似浓墨重彩。

与孟东野书[①]

【原文】

与足下别久矣，以吾心之思足下，知足下悬悬于吾也[②]。各以事牵，不可合并，其于人人，非足下之为见，而日与之处，足下知吾心乐否也！吾言之而听者谁欤？吾唱之而和者谁欤？言无听也，唱无和也，独行而无徒也，是非无所与同也，足下知余心乐否也！

足下才高气清，行古道，处今世，无田而衣食，事亲左右无违，足下之用心勤矣！足下之处身，劳且苦矣！混混与世相浊[③]，独其心追古人而从之，足下之道，其使吾悲也！

去年春，脱汴州之乱幸不死[④]，无所于归，遂来于此。主人与吾有故[⑤]，哀其穷，居吾于符离睢上[⑥]。及秋，将辞去，因被留以职事[⑦]，默默在此，行一年矣。到今年秋，聊复辞去。江湖，余乐也，与足下终幸矣。

李习之娶吾亡兄之女[8]，期在后月，朝夕当来此。张籍在和州居丧[9]，家甚贫。恐足下不知，故具此白，冀足下一来相视也。自彼至此，虽远，要皆舟行可至，速图之，吾之望也！

春且尽时，气向热[10]，惟侍奉吉庆[11]！愈眼疾比剧，甚无聊，不复一一。愈再拜。

【注释】

①孟东野：名郊，字东野，唐代宗大历四年(769)进士，长期居于洛阳。擅长写诗，与韩愈并称“韩孟诗派”。

②悬悬：挂念，牵挂。

③混混与世相浊：世事混浊，不得不随波逐流，费心周旋。

④脱汴州之乱：贞元十五年(799)二月，驻扎在汴州的宣武军节度使董晋卒，此时韩愈在董晋幕府任节度推官，随董晋的灵柩离开汴州。他们离开后四天，汴州发生叛乱，留后陆长源被杀。故此处有“脱汴州之乱”一说。

⑤主人：这里指当时的徐州节度使张建封。

⑥符离：今安徽宿州符离镇。睢：水名。

⑦留以职事：指韩愈被张建封授予幕职。

⑧李习之：李翱，唐代古文作家，曾跟随韩愈学习古文，主张崇儒排佛，著有《李文公集》。

⑨和州：今安徽和县。

⑩向：一说作“日”，日渐，逐渐。

⑪侍奉吉庆：指孟郊侍养母亲康健多福。

【译文】

我与您分别已经很久了,以我思念您的心情来揣测您,知道您也一定很挂念我。但我们各自因事务牵绊,无法见面相聚。而对于周围的众人,不能与您见面,却要天天与他们相处,我心里快乐与否您是知道的。我说话有谁来听呢?我吟唱有谁来应和呢?说话没有人听,吟唱无人应和,独自行走而没有志同道合的伙伴,是非对错的观点也没有人和我相同,我心中是否快乐您是知道的。

您才华高超、气质清明,遵行古时圣贤之道,却处在当今这个时代,没有田产而不得不为衣食奔波,侍奉在双亲身边从不违背,您的用心真是很勤勉,而您立身处世又太劳累辛苦了。您不得不随波逐流,跟世人混杂一起庸碌度日,只有自己的内心是追慕跟从古人的,您这样的立身之道,不禁让我悲伤感慨。

去年春天,我逃脱汴州之乱,侥幸没死,却无处可去,于是来到这里。这里的主人和我是旧交,哀怜我穷困艰难,让我住在符离的睢河边。到了秋天,我准备告辞离去,由于被委任职务而留了下来,静默孤独地待在这里,快一年了。等到今年秋天,我还想再次辞官离去。归隐江湖是我的快乐,若能与您一起终老,是多么幸运啊!

李翱要娶我已故哥哥的女儿,婚期就在下月,他很快就要来这里。张籍正在和州家中守丧,他家十分贫苦。担心您不知道这些情况,所以在这里说明,希望您能来一趟彼此相见。从您那里到这儿来虽然遥远,要是都走水路便可以到,请早些作打算,我很期盼您的到来。

春季即将过去,天气逐渐转热,祝您侍养的母亲康健多福。我的眼病近来加剧了,很是无奈,不再一一细说了。韩愈再拜。

【题解】

本文选自《昌黎先生集》卷十六，是一篇书信体的论说文。韩愈结合自己治学为文的实践，阐述了学习古文经历的三个阶段以及写作历练的甘苦体会。他提倡道德是文章的内核、文辞是道德的载体，要通过艰苦磨炼，正确对待外界批评，才能达到文道统一。全篇文势有起有伏，观点层层推进。文中所阐发的作文的客观规律，至今仍有借鉴意义。

答李翊书[①]

【原文】

六月二十六日，愈白李生足下：

生之书辞甚高，而其问何下而恭也[②]？能如是，谁不欲告生以其道！道德之归也有日矣，况其外之文乎！抑愈所谓望孔子之门墙而不入于其宫者[③]，焉足以知是且非邪。虽然，不可不为生言之。

生所谓立言者是也。生所为者，与所期者，甚似而几矣，抑不知生之志蕲胜于人而取于人邪[④]？将蕲至于古之立言者邪？蕲胜于人而取于人，则固胜于人而可取于人矣；将蕲至于古之立言者，则无望其速成，无诱于势利。养其根而俟其实[⑤]，加其膏而希其光[⑥]；根之茂者其实遂[⑦]，膏之沃者其光晔[⑧]。仁义之人，其言蔼如也[⑨]。

抑又有难者，愈之所为，不自知其至犹未也。虽然，学之二十余年矣。始者，非三代两汉之书不敢观，非圣人之志不敢存，处若忘，行若遗，俨乎其若思[10]，茫乎其若迷。当其取于心而注于手也，惟陈言之务去，戛戛乎其难哉[11]！其观于人，不知其非笑之为非笑也。如是者亦有年，犹不改，然后识古书之正伪，与虽正而不至焉者，昭昭然白黑分矣，而务去之，乃徐有得也。当其取于心而注于手也，汩汩然来矣[12]！其观于人也，笑之则以为喜，誉之则以为忧，以其犹有人之说者存也。如是者亦有年，然后浩乎其沛然矣[13]；吾又惧其杂也，迎而距之[14]，平心而察之，其皆醇也，然后肆焉[15]。虽然，不可以不养也，行之乎仁义之途，游之乎《诗》《书》之源，无迷其途，无绝其源，终吾身而已矣。

气[16]，水也；言，浮物也[17]。水大而物之浮者大小毕浮，气之与言犹是也，气盛则言之短长与声之高下者皆宜。虽如是，其敢自谓几于成乎[18]！虽几于成，其用于人也奚取焉！虽然，待用于人者，其肖于器耶[19]，用与舍属诸人。君子则不然，处心有道，行己有方，用则施诸人，舍则传诸其徒，垂诸文而为后世法。如是者，其亦足乐乎，其无足乐也？

有志乎古者希矣！志乎古，必遗乎今，吾诚乐而悲之。亟称其人[20]，所以劝之，非敢褒其可褒而贬其可贬也。问于愈者多矣，念生之言不志于利，聊相为言之[21]。愈白。

【注释】

①李翊(yì):曾跟随韩愈学习古文,贞元十八年,因韩愈的推荐而考中进士。

②下而恭:谦逊而恭敬。

③望孔子之门墙而不入于其宫者:语出《论语·子张》:"子贡曰:'譬之宫墙,赐之墙也及肩,窥见室家之好;夫子之墙数仞,不得其门而入,不见宗庙之美、百官之富。得其门者或寡矣,夫子之云,不亦宜乎!'"喻指孔子的道德文章博大精深,非常人所能企及。

④蕲:通"祈",祈求,希望。

⑤养其根而俟其实:培养好树木的根才能等候它结出果实。

⑥加其膏而希其光:给灯盏里添加灯油才能希望它发出光亮。膏,指灯油。

⑦遂:这里指果实成熟。

⑧晔:光明灿烂的样子。

⑨蔼如:和蔼温顺的样子。

⑩俨乎其若思:语出《礼记·曲礼上》:"毋不敬,俨若思,安定辞。"俨,庄重的样子。

⑪戛戛乎:困难、费力的样子。

⑫汩汩然:水急流的样子,比喻文思如泉涌。

⑬沛然:盛大的样子,形容文辞气势浩荡。

⑭距:抵抗,拒绝。

⑮肆:指毫无拘束地作文。

⑯气:指文章的气势。

⑰言:指文章的言辞。

⑱几:接近。

⑲器:器具。语出《论语·为政》:“君子不器。”意思是说君子不像器具那样只有某一方面的用途。

⑳亟(qì):多次,屡次。

㉑聊:姑且。

【译文】

六月二十六日,韩愈敬告李生足下:

你的来信文章辞采很好,而且求教问题的态度又是那么谦逊恭敬!能像这样,谁不愿意把那些仁义之道告诉你呢?看来,你成为一个有道德的人已经指日可待了,更何况作为道德外在表现的文章呢?不过我只是个所谓望见孔子的门墙而尚未进入他家门的人,哪能足以分清是对还是错呢?即使这样,我也不能不和你谈谈这个问题。

你所说的立言的想法是对的。你所做的事情和你所期望的,十分相似而且也很接近。但是我不知道你的志向,是希望超越别人,让自己的言论被他人接受呢,还是希望达到古人所说的著书立说的标准呢?如果是希望超越别人,让自己的言论被他人接受,那你本已超过别人而且可以被人接受了。如果是希望达到古人所说的立言的目的,就不能指望在很短的时间内会成功,也不能受权势和利禄的诱惑。就像培养好树木的根才能等候它结果,又像给灯盏里添加油脂才能希望它发出光亮一样。根系茂盛的树木,它的果实才会顺利成熟;油脂丰沃的灯盏,发光自然就会明亮。奉行仁义之道的人,他的言辞必定会和蔼温顺。

不过这里又有些难处,我的做法自己也不知道是否已经达到了古人立言的标准。即使这样,我也学习二十多年了。起初,不是夏、商、周和两汉时代的书我不敢看,不是圣人的观点我不敢铭记于心,静处的时候好像忘了身外一切，行动的时候好像遗失了什么东西，一副神态庄重、若有所思的样子，表情茫然像是找不到方向。当我把心里的想法写出来时，力求破除陈词滥调，真是困难极了！我把写好的文章给别人看，不理会别人的非议讥笑。像这样过了好些年，坚持不改变这种态度，然后才能够识别出古书中儒家之道的纯正与驳杂，以及那些虽然正确却还不够完善的地方，对这些我区别得如同黑白分明一样清清楚楚，并且务必除去自己文章中的不足之处，这样才慢慢有所收获。当把自己的想法写出来的时候，文思敏捷犹如泉涌。当把写好的文章给别人看时，别人讥笑它，我就高兴；别人赞美它，我就发愁，这说明文章中还保留着一般人的见解。像这样又过了好些年，我才真正做到下笔时文思充沛、浩浩荡荡。这时我又担心文章的内容驳杂不够纯正，便主动找出来加以修正，平心静气地观察思考，觉得所有内容都纯正了，然后再放手去写。即使这样，我还是觉得不能不继续加强修养。行走在仁义的大道上，漫游在《诗》《书》等儒家经典的源泉里，不迷失这个道路，不断绝这个源泉，我一辈子都要这样做。

文章的气势就像是水，言辞就像是浮在水面的物体。水势浩大，那么能浮在水面的物体不论大小都能浮起来。文章的气势和言辞的关系也是如此。气势盛大磅礴，那么言辞的长短、声调的高低便都会恰到好处。即使这样，难道就敢说自己的文章已经接近成功了吗？即使接近成功了，等到为人所用时，人家又能从中得到什么呢？尽管如此，等待别人取用的人，就像器物一样吧？用和不用都取决于别人。君子就不是这样，思考问题有一定的方法，自己行事有一定的原则，能为人所用时就把自己的道推行给别人，不能为人所用时就把自己的道传给弟子，把它写在文章中以便后人效仿。像这样做是值得高兴呢,还是不值得高兴呢?

现在有志于学古人立言的人太少了。有志于学古人立言的人必然会被今人遗弃,我确实既为他们感到高兴,又为他们感到悲哀。我多次称赞这些人,以劝勉他们,我并不敢褒扬那些该褒扬的人,批评那些应该批评的人。向我求学的人很多,考虑到你所说的意图不在于追求名利,姑且对你讲了以上这番话。韩愈告启。

【题解】

本文选自《昌黎先生集》卷十七。韩愈与崔群为同榜进士，相知甚深。整篇书信以深沉的感情为基调，以倾诉衷肠为线索，以劝勉解慰和愤慨世道不公为主要内容，充斥着对朋友的关切、爱重、钦佩和期许，凝聚着对黑暗的社会现实的揭露和抨击，抒写了怀才不遇的牢骚和愤怨。

与崔群书[①]

【原文】

自足下离东都[②]，凡两度枉问[③]，寻承已达宣州[④]，主人仁贤[⑤]，同列皆君子，虽抱羁旅之念，亦且可以度日，无入而不自得[⑥]。乐天知命者[⑦]，固前修之所以御外物者也[⑧]，况足下度越此等百千辈，岂以出处近远累其灵台邪[⑨]！宣州虽称清凉高爽，然皆大江之南，风土不并以北，将息之道[⑩]，当先理其心，心闲无事，然后外患不入。风气所宜，可以审备，小小者亦当自不至矣。足下之贤，虽在穷约，犹能不改其乐，况地至近，官荣禄厚[⑪]，亲爱尽在左右者邪！所以如此云云者，以为足下贤者，宜在上位，托于幕府[⑫]，则不为得其所。是以及之，乃相亲重之道耳，非所以待足下者也。

仆自少至今，从事于往还朋友间，一十七年矣。日月不为不久，所与交往相识者千百人，非不多，其相与如骨肉兄弟者，亦且不少。或以事同，或以艺取，或慕其一善，或以其久故。或初不甚知，而与之已密，其后无大恶，因不复决舍；或其人虽不皆入于善，而于己已厚，虽欲悔之，不可。凡诸浅者固不足道，深者止如此。至于心所仰服，考之言行而无瑕尤[13]，窥之阃奥而不见畛域[14]，明白淳粹，辉光日新者，惟吾崔君一人！仆愚陋无所知晓，然圣人之书，无所不读，其精粗巨细，出入明晦[15]，虽不尽识，抑不可谓不涉其流者也。以此而推之，以此而度之，诚知足下出群拔萃，无谓仆何从而得之也！与足下情义，宁须言而后自明邪？所以言者，惧足下以为吾所与深者多，不置白黑于胸中耳[16]。既谓能粗知足下，而复惧足下之不我知，亦过也。比亦有人说足下诚尽善尽美[17]，抑犹有可疑者，仆谓之曰："何疑？"疑者曰："君子当有所好恶，好恶不可不明，如清河者[18]，人无贤愚，无不说其善，伏其为人，以是而疑之耳。"仆应之曰："凤皇芝草，贤愚皆以为美瑞；青天白日，奴隶亦知其清明。譬之食物，至于遐方异味，则有嗜者，有不嗜者。至于稻也，粱也[19]，脍也[20]，炙也[21]，岂闻有不嗜者哉！"疑者乃解。解不解，于吾崔君无所损益也。

自古贤者少，不肖者多。自省事已来[22]，又见贤者恒不遇，不贤者比肩青紫[23]；贤者恒无以自存，不贤者志满气得；贤者虽得卑位，则旋而死[24]，不贤者或至眉寿[25]。不知造物者意竟如何，无乃所好恶与人异心哉？又不知无乃都不省记，任其死生寿夭邪？未可知也！人固有薄卿相之官、千乘之位[26]，而甘陋巷菜羹者。同是人也，犹有

好恶如此之异者，况天之与人，当必异其所好恶无疑也。合于天而乖于人[27]，何害！况又时有兼得者邪！崔君！崔君！无怠！无怠！

仆无以自全活者，从一官于此，转困穷甚，思自放于伊颍之上[28]，当亦终得之。近者尤衰惫：左车第二牙[29]，无故动摇脱去；目视昏花，寻常间便不分人颜色[30]；两鬓半白，头发五分亦白其一，须亦有一茎两茎白者。仆家不幸，诸父诸兄皆康强早世[31]，如仆者，又可以图于久长哉！以此忽忽[32]，思与足下相见，一道其怀。小儿女满前，能不顾念，足下何由得归北来？仆不乐江南，官满便终老嵩下[33]，足下可相就，仆不可去矣。珍重自爱，慎饮食，少思虑，惟此之望！愈再拜。

【注释】

①崔群：字敦诗，贞元八年(792)与韩愈同榜进士及第。

②东都：唐以洛阳为东都。

③枉问：敬辞，承蒙问候。

④寻：不久。宣州：治所在今安徽宣城。

⑤主人：这里指当时的宣歙观察使崔衍，崔群时任其幕下判官。

⑥无入而不自得：无论到哪里都可以安然自得。语出《礼记·中庸》："君子无入而不自得焉。"

⑦乐天知命：安于天道的安排，乐守本分。语出《周易·系辞上》："乐天知命，故不忧。"

⑧前修：先哲。

⑨灵台：内心，这里指人的思想情绪。

⑩将息：调养，休息。

⑪官荣禄厚：崔群时任宣州观察判官，可谓官荣禄厚。

⑫幕府：本指将帅在外的营帐，后泛指军政官员的衙署。

⑬瑕尤：缺点，过失。

⑭阃(kǔn)奥：深邃的内室，这里喻指内心世界的隐微之处。畛域：界限。这里引申为成见、偏见。

⑮明晦：指或浅显或深奥的道理。

⑯白黑：是非好坏。

⑰比：近来。

⑱清河者：这里是用崔群的郡望代指崔群。

⑲粱：小米。

⑳脍：细切的肉。

㉑炙：烤熟的肉。

㉒省事：懂得事理。

㉓青紫：指古代高官印绶、服饰的颜色。比喻达官显贵。

㉔旋：不久。

㉕眉寿：长寿。古人认为眉毛长是长寿的象征，故称“眉寿”。

㉖千乘：千辆兵车。古代称四马一车为一乘，“千乘之国”也是一般诸侯国的代称。这里喻指高官厚禄。

㉗合于天而乖于人：与天意相符而与人心相背。乖，违背。

㉘伊颍：伊水与颍水的合称，在今河南。

㉙左车：左边的牙床。车，牙床。

㉚寻常：古代长度单位，八尺为寻，一丈六尺为常。比喻距离很近的地方。

㉛世：通“逝”，过世。

㉜忽忽：精神恍惚的样子。
㉝嵩：中岳嵩山。

【译文】

自从您离开东都洛阳以后，承蒙您两次写信问候我，不久又接到消息说您已经到达宣州，主人仁义贤德，同僚都是君子，虽然心中怀着客居异乡的感觉，尚且还可以生活下去，无论到哪里都可以自得其乐。安于命运、乐守本分，这正是前代的仁人志士抵御外界事物的态度。更何况您超越这些人百倍千倍，哪里会因为出仕和退隐的得失而牵累内心啊！宣州虽说清凉高爽，但都在长江南岸，风俗习惯、地理环境都和北方不同，养生之道，应当首先调整心情，心里安闲平静，疾病才不能侵入体内。适应气候风俗，随着不同情况做周密的准备，小毛病自然就不会来。您是位贤德的人，即使处在贫穷困苦之地，也不改变乐观的态度，何况您现居地离京师很近，而且官位显荣、俸禄丰厚，亲人都在身边呢？我之所以这样说，是认为像您这样贤德的人，应该身居高位，托身于幕府之中，不能算是得到适当的位置。之所以提到这些，是出于对您的亲近和敬重，并非认为您应当如此。

我从小到现在，周旋于交往的朋友之间，已经有十七年了。时间不能说不长，所交往相识的人有千百个，不能说不多，其中交情像同胞兄弟的也有不少。有的因为从事的工作一样；有的是看中他擅长某项技艺；有的是因为仰慕他某方面的美好品德；有的是因为彼此是老朋友。有的起初不太了解，与他关系密切之后又没有过分的恶行，所以就没有断绝往来；有的人虽然不能完全属于善辈，但和我交情已经很深厚，即使想反悔也不可能了。凡是那些交情浅的人，当然不值得一提，即使交情深厚的也不过这样。至于我心里仰慕佩服的，考察他的言语行动没有缺点过失，细究他的内心世界也没发现有世俗的偏见，坦荡光明、淳厚精粹，像星辉和日光一样每日自新的，只有崔先生一个人。我愚笨浅陋没有见识，但是圣人的书没有不读的，其中精微或宏观、浅显或深奥的道理，虽然不能全部了解透彻，但也可以说都一一涉猎过了。由此推断和衡量，知道您的确是一位出类拔萃的人，不要说我从哪里得出这样的结论！我和您的情义，哪里需要说出来以后才明白？之所以要说的原因，是怕您认为我深交的人很多，心里多半不辨是非、不分好坏。既然说能够大致地了解您，却又害怕您不了解我，这也是我的不对。近来也有人说您的确十全十美，可还有些让人怀疑的地方。我问他："怀疑什么？"怀疑的人说："君子应当有所喜好和嫌恶，喜好和嫌恶不能不分清楚，像崔清河这样的人，无论别人是贤德还是愚昧，没有不说他好的，都敬佩他的为人，我因此而怀疑他。"我回答他说："凤凰灵芝，贤德和愚昧的人都认为它们美好吉祥；青天白日，奴隶也知道它们清新光明。譬如食物一样，对于远方特殊味道的风味，有的人喜欢吃，有的人不喜欢吃。而稻谷、小米、细肉、烤肉，哪里听过有不喜欢吃的人呢？"怀疑的人这才明白。明不明白，对于崔先生来说也并没有影响。

自古以来贤德的人少，不成器的人却很多。从我懂事以来，看到贤德的人常常得不到赏识任用，不贤德的人却一个接一个地成为达官显贵；贤德的人常常无法生存下去，不贤德的人却总是志满意得；贤德的人即便获得卑贱的职位，不久便会去世，不贤德的人却健康长寿。不知道上天究竟是何意图，莫非它的喜好和憎恶与人的心思不一样？也不知道它是不是对人的行为都不观察记录，任凭人们生或死、长命或短寿？没法知道啊！人们当中固然有轻视高官厚禄，而情愿住简陋的房子、喝菜汤的。同样是人，还有喜好与憎恶有如此差别的情况，更何况上天和人呢，两者必然有好恶不同的情况无疑！与天意相符而与人心相背，又有什么不好呢？况且还有两者兼得的时候呢？崔先生啊崔先生，不要懈怠，不要懈怠！

我无从保全养活自己，在京城当个小官，越来越困厄穷苦，想要辞官隐居在伊水、颍水之上的愿望，应当终究会实现。我近来尤其衰老疲惫：左牙床第二颗牙齿无缘无故地松动脱落了；眼睛视力昏花，距离很近的地方也分辨不出人的脸色；两鬓半白，头发白了五分之一，胡须也有一两缕白的。我家里不幸，父亲和各位兄弟都是壮年早逝，像我这样的人又哪里可以期望活得长久呢？我因此精神恍惚，想要与您相见，一诉我的衷肠。但孩子都在眼前，怎能不挂念？您有什么办法可以回北方来吗？我不喜欢江南，打算官期一满就在嵩山下终老，您可以来和我会面，我却不能去看望您了。请珍重和爱惜自己，注意饮食，避免思虑，我只有这些盼望！韩愈再拜。

【题解】

本文选自《昌黎先生集》卷十七。冯宿与韩愈同年进士及第，互为同道挚友。文章生动地描述了韩愈写作古文时不为世人所理解的辛酸以及知音难觅的现状。他以自身在修学作文时的艰难处境为例证，表明其推行古文、反对骈文，忍耐寂寞、不为利禄所惑、矢志不渝的决心。

与冯宿论文书[①]

【原文】

辱示《初筮赋》[②]，实有意思。但力为之[③]，古人不难到；但不知直似古人，亦何得于今人也？仆为文久，每自则意中以为好，则人必以为恶矣。小称意，人亦小怪之；大称意，即人必大怪之也。时时应事作俗下文字，下笔令人惭，及示人，则人以为好矣。小惭者，亦蒙谓之小好；大惭者，即必以为大好矣。不知古文直何用于今世也，然以俟知者知耳。

昔扬子云著《太玄》[④]，人皆笑之，子云之言曰："世不我知，无害也，后世复有扬子云，必好之矣。"子云死近千载，竟未有扬子云，可叹也！其时桓谭亦以为雄书胜《老子》[⑤]。老子未足道也，子云岂止与老子争强而已乎？此未为知雄者。其弟子侯芭颇知之[⑥]，以为其师之书胜《周易》。然侯之他文，不见于世，不知其人果如何耳。以此

而言，作者不祈人之知也明矣。直百世以俟圣人而不惑，质诸鬼神而不疑耳⑦。足下岂不谓然乎？

近李翱从仆学文⑧，颇有所得；然其人家贫多事，未能卒其业。有张籍者，年长于翱、而亦学于仆，其文与翱相上下，一二年业之，庶几乎至也；然闵其弃俗尚而从于寂寞之道，以之争名于时也。

久不谈，聊感足下能自进于此，故复发愤一道。愈再拜。

【注释】

①冯宿：字拱之，婺州东阳（在今浙江）人，韩愈同年进士。

②辱：谦辞，承蒙抬爱。筮：或作“仕”。

③但力为之：只要尽力去做。

④扬子云著《太玄》：扬子云即扬雄，西汉辞赋家，因仰慕《周易》而著《太玄》，当时的人们都嘲笑他，他却不以为意。

⑤桓谭：字君山，东汉哲学家、经学家。他爱好音律，擅弹琴。著有《新论》。

⑥侯芭：扬雄的弟子。

⑦“直百世”二句：当百世以后待到圣人出现才能明白，质询于鬼神而没有疑问。语出《礼记·中庸》：“质诸鬼神而无疑，知天也。百世以俟圣人而不惑，知人也。”

⑧李翱：字习之，唐代古文作家，曾跟随韩愈学习古文。

【译文】

承蒙您出示《初筮赋》给我看，内容的确很有意思。只要尽力去做，古人的标准也不难达到；但我不明白即使达到与古人相似的水平，又怎么能得到今人的赏识呢？我写文章已经很久了，每次自己心里觉得写得好的文章，那么别人一定认为不好。我稍微满意的，别人就稍微责难；我非常满意的，别人就一定会大加责难。常常为了应酬人事写一些通俗低下的文章，下笔的时候我都觉得惭愧。等拿给别人看，别人却认为写得好。我稍感惭愧的，就被人称赞略有好处；我极为惭愧的，一定会被人认为精彩之至。真不知道古文在当代究竟有什么作用！只有等待能懂得的人来了解了。

过去扬子云撰写《太玄》，别人都嘲笑他，子云回答说："世人不理解我，没有什么坏处；以后再有扬子云这样的人，一定会喜欢的。"扬子云死了快一千年，竟然还没有出现像他那样的人，真令人叹息啊！当时桓谭也认为扬雄的书胜过《老子》。老子并不值得称道，子云哪里只能和老子争高低呢？这是不理解扬雄的人说的。子云的学生侯芭很理解他，认为他老师的著作胜过《周易》，但是侯芭别的文章没在世上见到，不知道他这个人究竟怎么样。由此可以说，著书者不祈求别人理解也就很明白了。他是要等百世以后有圣人出现才能理解，质询于鬼神而没有疑惑。您难道不认为是这样吗？

最近李翱跟我学习古文，颇有收获，但他家境贫寒又多事故，没能完成他的学业。有个叫张籍的，年纪比李翱大，也跟着我学习，他的文章水平和李翱不相上下，经过一两年学习，差不多可以了。但我担心他抛弃时俗风尚跟我走这条寂寞之路，是要拿它来追求当今的声誉名望。

很久不交谈了，欣慰地看到您在这个方面取得进展，所以又发了一通心中感慨。韩愈再拜。

【题解】

本文选自《昌黎先生集》卷十七，是为指导好友之子如何对待古文写作而展开的论述。文中阐明了韩愈所提倡的“文以载道”、反对因袭的古文理论。除此之外，文中所反映的文辞表现风格、实事求是与多样化、文学创作价值等文论观念，被历代古文家奉为圭臬。

答刘正夫书[①]

【原文】

愈白进士刘君足下：辱笺教以所不及[②]，既荷厚赐，且愧其诚然，幸甚！幸甚！

凡举进士者，于先进之门[③]，何所不往；先进之于后辈，苟见其至，宁可以不答其意邪？来者则接之，举城士大夫，莫不皆然；而愈不幸，独有接后辈名[④]。名之所存，谤之所归也。

有来问者，不敢不以诚答。或问：“为文宜何师？”必谨对曰：“宜师古圣贤人。”曰：“古圣贤人所为书具存，辞皆不同，宜何师？”必谨对曰：“师其意，不师其辞。”又问曰：“文宜易宜难？”必谨对曰：“无难易，惟其是而已矣。”非固开其为此，而禁其为彼也。

夫百物朝夕所见者，人皆不注视也，及睹其异者，则共观而言之，夫文岂异于是乎！汉朝人莫不能为文，独司马相如[⑤]、太史公、刘向[⑥]、扬雄为之最。然则用功深者，

其收名也远。若皆与世沉浮,不自树立,虽不为当时所怪,亦必无后世之传也。足下家中百物,皆赖而用也,然其所珍爱者,必非常物。夫君子之于文,岂异于是乎!今后进之为文,能深探而力取之,以古圣贤人为法者,虽未必皆是,要若有司马相如、太史公、刘向、扬雄之徒出,必自于此,不自于循常之徒也。若圣人之道,不用文则已,用则必尚其能者。能者非他,能自树立不因循者是也。有文字来,谁不为文?然其存于今者,必其能者也。顾常以此为说耳。

愈于足下,忝同道而先进者⑦,又常从游于贤尊给事⑧,既辱厚赐,又安得不进其所有以为答也。足下以为何如?愈白。

【注释】

①刘正夫:刑部侍郎刘伯刍之子。正,或作"岩"。

②辱笺:古时书信中的客套话,承蒙来信。

③先进:前辈,先贤。

④接后辈名:结交后辈的名声。

⑤司马相如:字长卿,西汉辞赋家,代表作有《子虚赋》《上林赋》《长门赋》等。

⑥刘向:字子政,汉朝宗室,西汉经学家、目录学家、文学家。其代表作《别录》是中国第一部有书名、有解题的综合性的分类目录书,唐代已佚。其余作品今存《新序》《说苑》等,多有亡佚。

⑦忝(tiǎn):谦辞,表示辱没他人,自己有愧。

⑧贤尊:对对方父亲的敬称。给事:官名,"给事中"的省称。

【译文】

韩愈敬告进士刘先生：承蒙您来信对我的不足之处予以指教，收到您情深意厚的赐教，使我惭愧地认识到自己确实是这样。荣幸之至，荣幸之至！

凡是参加进士科考试的人，对于前辈的门庭，哪里有不去走动拜访的；前辈对待后辈，如果看到他们到来，怎会不回应他们的一番心意呢？有后辈来访就接待，全城的士大夫没有不是这样做的，然而不幸的是唯独我有结交后辈的名声。名声所在，诽谤也就随之而来了。

有前来询问的，我不敢不诚恳地回答。有人问："写文章应当效法谁？"我一定谨慎地回答他说："应当效法古代的圣贤之人。"又问道："古代圣贤之人所写的书都留存着，可文辞都不一样，应当效法谁？"我一定谨慎地回答他说："学习他们的意蕴，而不学习他们的文辞。"又问道："文章应当浅易还是艰深？"我一定谨慎地回答他说："无所谓浅易还是艰深，只要合理、合适即可。"我并不是一成不变地启发他这样写，禁止他那样写。

我们每天都能见到各种事物，人们都不留意去看，等看见那些不同寻常的东西，就一起来观看议论。文章难道和这不一样吗？汉朝人没有不能写文章的，却只有司马相如、太史公、刘向、扬雄出类拔萃。可见功夫下得深，所获得的名声才会远扬。如果都随波逐流，没有自己的创见，即使不会被当时的人所责怪，也绝不会传名后世。您家里各式各样的东西，都是生活必须依赖使用的，但是您所珍爱的，一定不是平常的东西。君子对于文章，难道和这不同吗？如今后辈写文章，能够深入探索、努力汲取，把古代圣贤的文章作为法则，即使未必都恰当，但如果真有司马相如、太史公、刘向、扬雄之类的人物出现，就一定是由这些人当中产生的，而不会出自于墨守成规的人当中。推行圣人之道，如果不用文章就算了，只要使用文章，就必定推崇那些会写文章的人。能写文章的不是别人，而是能够有自己的创见、不因循守旧的人。自从有文字以来，谁不写文章？但其中能留存到现在的，一定是其中写得好的。我常常提到这一观点。

我对于您来说，有愧于既是同道还是前辈，又经常与您做给事中的父亲来往，既然承蒙您厚意赐教，又怎么敢不倾我所知来回答您呢？您认为怎么样？韩愈告启。

【题解】

本文选自《昌黎先生集》卷十八。孟尚书即孟简，是一名虔诚的佛教徒，他听闻韩愈被贬潮州期间与僧人来往密切，故而写信询问韩愈的态度。韩愈在复信中论证了佛老之说对国家社会及儒道造成的危害，他以孟子自比，反复阐说自己恪守儒学、力辟佛老的立场。

与孟尚书书[①]

【原文】

愈白：行官自南回[②]，过吉州[③]，得吾兄二十四日手书数番，忻悚兼至[④]。未审入秋来眠食何似？伏惟万福！

来示云，有人传愈近少信奉释氏[⑤]，此传之者妄也。潮州时[⑥]，有一老僧，号大颠，颇聪明，识道理。远地无可与语者，故自山召至州郭，留十数日。实能外形骸，以理自胜，不为事物侵乱。与之语，虽不尽解，要自胸中无滞碍；以为难得，因与来往。及祭神至海上，遂造其庐[⑦]。及来袁州[⑧]，留衣服为别。乃人之情，非崇信其法，求福田利益也[⑨]。

孔子云："丘之祷久矣[⑩]。"凡君子行己立身，自有法度。圣贤事业，具在方册[⑪]，可效可师。仰不愧天，俯不愧人，内不愧心，积善积恶，殃庆自各以其类至。何有去圣人之道，舍先王之法，而从夷狄之教，以求福利也！《诗》不云乎："恺悌君子，求福不回[⑫]。"《传》又曰："不为

威惕，不为利疢[13]。"假如释氏能与人为祸祟，非守道君子之所惧也，况万万无此理。且彼佛者，果何人哉？其行事类君子邪，小人邪？若君子也，必不妄加祸于守道之人；如小人也，其身已死，其鬼不灵。天地神祇[14]，昭布森列，非可诬也，又肯令其鬼行胸臆、作威福于其间哉。进退无所据而信奉之，亦且惑矣！

且愈不助释氏而排之者，其亦有说。孟子云："今天下不之杨，则之墨[15]。"杨墨交乱，而圣贤之道不明，则三纲沦而九法斁[16]，礼乐崩而夷狄横，几何其不为禽兽也！故曰："能言拒杨墨者，皆圣人之徒也[17]。"扬子云云："古者杨墨塞路，孟子辞而辟之，廓如也[18]。"夫杨墨行，正道废，且将数百年，以至于秦，卒灭先王之法，烧除其经，坑杀学士[19]，天下遂大乱。及秦灭，汉兴且百年，尚未知修明先王之道。其后始除挟书之律[20]，稍求亡书，招学士。经虽少得，尚皆残缺，十亡二三；故学士多老死，新者不见全经，不能尽知先王之事，各以所见为守，分离乖隔，不合不公。二帝三王群圣人之道[21]，于是大坏。后之学者，无所寻逐，以至于今泯泯也[22]，其祸出于杨墨肆行而莫之禁故也。孟子虽贤圣，不得位，空言无施，虽切何补？然赖其言，而今学者尚知宗孔氏，崇仁义，贵王贱霸而已[23]。其大经大法，皆亡灭而不救，坏烂而不收，所谓存十一于千百，安在其能廓如也！然向无孟氏[24]，则皆服左衽而言侏离矣[25]。故愈尝推尊孟氏，以为功不在禹下者为此也。

汉氏已来，群儒区区修补，百孔千疮，随乱随失。其危如一发引千钧[26]，绵绵延延，浸以微灭[27]。于是时也，而

唱释老于其间，鼓天下之众而从之。呜呼，其亦不仁甚矣！释老之害，过于杨墨。韩愈之贤，不及孟子，孟子不能救之于未亡之前，而韩愈乃欲全之于已坏之后。呜呼，其亦不量其力，且见其身之危，莫之救以死也！虽然，使其道由愈而粗传，虽灭死，万万无恨。天地鬼神，临之在上，质之在傍，又安得因一摧折，自毁其道以从于邪也！

籍湜辈虽屡指教[28]，不知果能不叛去否！辱吾兄眷厚，而不获承命，惟增惭惧，死罪！死罪！愈再拜。

【注释】

①孟尚书：名简，字几道，唐朝大臣，精于佛典。

②行官自南回：当时韩愈由潮州调入袁州，潮州在袁州南方，故有此说。行官，唐代官名，供行役于四方。

③吉州：在今江西吉安。

④忻(xīn)：喜悦，高兴。悚：惶恐，惊惧。

⑤释氏：指佛教。

⑥潮州：唐代州名，今属广东省。唐宪宗时，韩愈因谏迎佛骨一事被贬为潮州刺史。

⑦造：到……去。

⑧袁州：今属江西省。韩愈于元和十四年冬自潮州移袁州。

⑨福田利益：佛教用语。指福报功德。

⑩丘之祷久矣：语出《论语·述而》："子疾病，子路请祷。子曰：'有诸？'子路对曰：'有之。《诔》曰："祷尔于上下神祇。"'子曰：'丘之祷久矣。'"

⑪方册：书籍。

⑫恺(kǎi)悌(tì)君子,求福不回:语出《诗经·大雅·旱麓》。恺悌,和乐平易。回,邪僻,违背正道。

⑬不为威惕,不为利疚:语出《左传·哀公十六年》:"不为利谄,不为威惕,不泄人言以求媚者,去之。"惕,害怕。

⑭祇(qí):地神。

⑮今天下不之杨,则之墨:语出《孟子·滕文公下》:"杨朱、墨翟之言盈天下。天下之言不归杨则归墨。"杨,杨朱,字子居,战国时期哲学家、思想家,道家杨朱学派的创始人,主张"为我""贵己"等。墨,墨子,名翟,战国时期著名的思想家、教育家、军事家,墨家学派的创始人,主张"兼爱""非攻"等。

⑯三纲:古时谓君为臣纲、父为子纲、夫为妻纲。九法:泛指治理国家的方法。斁(dù):败坏。

⑰能言拒杨墨者,皆圣人之徒也:语出《孟子·滕文公下》。

⑱廓如:广阔的样子。

⑲烧除其经,坑杀学士:指秦始皇"焚书坑儒"一事。

⑳挟书之律:秦朝时规定禁止私藏诸子百家典籍。

㉑二帝:尧舜二帝。三王:夏商周三代之王。

㉒泯泯:泯灭无几。

㉓贵王贱霸:重视王道而轻视霸道。

㉔向:如果。孟氏:指孟子。

㉕左衽:衣襟向左,指古时某些少数民族的服装。侏离:古时指蛮夷地区的语言。

㉖钧:古代重量单位,三十斤。

㉗浸:逐渐。

㉘籍:张籍,字文昌,唐代著名诗人,经韩愈举荐后进士及第,其乐府

诗与王建齐名,并称“张王乐府”。湜:皇甫湜,唐代文学家,字持正,元和年间进士,曾师从韩愈。

【译文】

韩愈敬告:我任行官之职从潮州调往袁州,经过吉州,接到兄台您二十四日亲笔所写的信札几张,心中既高兴又恐惧。不知入秋以来您的睡眠饮食怎样,在此祝愿您万福!

您来信说有人传言我近来有点信奉佛教,这是传言的人胡说。我在潮州时,有一位老和尚法号大颠,非常聪明,懂得佛学义理。在偏远地区没有可以交谈的人,所以从山上邀请他到潮州城来,留住了十几天。这位老僧人的确能把躯壳视作外物,以理性克制自己,不被外界事物干扰。和他交谈,虽然不能完全理解他所说的,重要的是心中没有凝滞阻碍。我认为这样的和尚很难得,因此同他相互交往。等前去海上祭神时,就到他的住所进行拜访。等我来袁州时,又留送他衣服作为临别纪念。这是人之常情,并不是崇奉信仰佛教以谋求福报功德。

孔夫子说:“我祈祷很久了!”凡是君子立身处世,都有自己的行为准则。圣贤的事迹都记载在典籍上,可以效法、可以学习。我抬起头来没有对不起天,低下头来没有对不起人,对内没有对不起良心。积善还是作恶,各自都会得到相应的福祉或灾殃。有什么理由要离开圣人之道,舍弃先王的法度,而信从夷狄的佛教来谋求福报呢?《诗经》上不是说“和乐平易的君子,祈求福报不行邪僻”吗?《左传》上也说“不因为威胁而惧怕,不因为利诱而蒙受屈辱。”倘若佛能够给人们制造灾祸,那不是坚守圣人之道的君子所应惧怕的,何况根本没有这种道理!况且那个所谓的佛究竟是什么样的人呢?他做事像君子，还是像小人呢？如果是君子，绝不会随意将灾祸施加到守道的人身上；如果是小人，他的身体已经死亡，他的鬼魂自然不会有灵性。天地的神祇，清清楚楚、森严地分布排列在这里，是不可能被欺骗的，又怎么会让他的鬼魂恣意妄为，在人间作威作福呢？进退都没有根据，却还去信奉它，也太糊涂了！

况且我不敢助佛教却排斥它，也有自己的道理。孟子说："当今天下之人，不信奉杨朱学说，就信奉墨家学说。"杨朱、墨家二派交错混杂，使儒家的学说不能发扬光大，三纲沦丧，九法败坏，礼乐制度崩溃，夷狄横行，人离禽兽还相差多少呢？孟子又说："能够对抗杨朱、墨翟学说的，就是孔圣人的门徒。"扬子云说："古时候杨朱、墨翟的学说堵塞了儒家的道路，孟子用言论驳斥邪说，进行疏通，使儒家学说的道路扩大。"杨朱、墨家学说横行，儒家的正道被废弃，将近几百年，直到秦朝，最终毁灭了先王的法度，烧掉圣贤经典，活埋、杀害儒生，天下于是大乱。到秦朝灭亡，汉朝兴起近一百年，还不知道恢复发扬先王之道。这之后开始解除藏书的禁令，逐渐搜求亡佚的典籍，招引学士。经籍虽然稍稍搜罗了些，但都残缺不全，十分之二三已经遗失。原有的学士大多年老或去世，新近的学者没有见过完整的经书，不可能全然了解先王的事迹，各自信守所见的经籍，分隔背离，抱残守缺，固执己见。尧舜二帝、夏商周三代之王、众位圣贤的正道，因此遭到极大破坏。后来的学者无从查找追寻，以至于到了现在泯灭无几。这个祸端在于杨朱、墨家学说肆意盛行而没有禁止。孟子虽然贤能圣明，但没有获得权位，只能空谈而无法推行他的主张，话虽然说得切中要害，但又有什么用处？然而依靠他的言论，当今的学者还懂得尊奉孔子，推崇仁义，重视王道而轻视霸道罢了。儒家大的经典、大的法度，都已经遗失灭绝无法补救，坏烂散佚而不能收集，只能说存留了千分之十、百分之一，孟子哪里能开拓儒家大道呢？然而如果没有孟子，那么我们中原的人都得穿衣襟向左掩的服装，讲异族的语言了。所以我曾经推崇尊敬孟子，认为他的功劳不在夏禹之下，原因就在于此。

汉代以来，众多学者对儒家经典小修微补，但其残缺破漏严重，又任由其散乱遗失。形势危急得好像用一根头发吊了千钧重量，延续不断，逐渐衰微灭亡。这个时候，有人却在提倡佛教、老庄学说，鼓动天下民众都来信从它。唉，这也太不仁德了！佛教、老庄学说造成的危害，超过杨朱、墨翟学说。韩愈的贤明，赶不上孟子，孟子尚且不能在儒学没有灭亡以前挽救它，而我却想在儒学被毁坏以后保全它。唉，我也太自不量力了，并且可以预见到会有危险，没有谁肯冒死相救！即便如此，假如儒家道统能经由我大致流传下去，即使自身灭亡也不会有一丝遗憾！天地鬼神在上面注视，在身旁评断，我又怎会因为一次挫折，就毁弃所信奉的儒道而去追随佛教邪说呢？

张籍、皇甫湜这些人我虽然屡次进行指点教导，但不知道他们是不是真的能不背离所学？承蒙兄长您对我眷顾厚爱，我却不能接受您的教导，徒增惭愧和恐惧之心，我罪该死，我罪该死！韩愈再拜。

【题解】

本文选自《昌黎先生集》卷十八。文章的起因，是自视甚高的隐士吕毉要求韩愈引荐未果，便写信责备韩愈不能礼贤下士，于是韩愈写下这封回信道明原委、陈说曲衷。文章阐述了韩愈对结交贤士、荐举人才的态度，并对当世士风进行了抨击，表明了自己尚义重才的立场以及对后辈学人的鼓励。全篇情意恳切，说理透彻，语气委婉又不乏讽刺，也表现了韩愈光明磊落的独立人格。

答吕毉山人书

【原文】

愈白：惠书责以不能如信陵执辔者①。夫信陵，战国公子，欲以取士声势倾天下而然耳。如仆者②，自度若世无孔子，不当在弟子之列。以吾子始自山出，有朴茂之美意，恐未礱磨以世事③。又自周后文弊④，百子为书，各自名家，乱圣人之宗，后生习传，杂而不贯，故设问以观吾子。其已成熟乎，将以为友也；其未成熟乎，将以讲去其非而趋是耳。不如六国公子有市于道者也。

方今天下入仕，惟以进士明经及卿大夫之世耳⑤。其人率皆习熟时俗，工于语言，识形势，善候人主意。故天下靡靡⑥，日入于衰坏，恐不复振起。务欲进足下趋死不顾利害去就之人于朝，以争救之耳，非谓当今公卿间无

足下辈文学知识也。不得以信陵比！

然足下衣破衣，系麻鞋，率然叩吾门[⑦]。吾待足下，虽未尽宾主之道，不可谓无意者。足下行天下，得此于人盖寡，乃遂能责不足于我，此真仆所汲汲求者[⑧]。议虽未中节，其不肯阿曲以事人者[⑨]，灼灼明矣[⑩]。方将坐足下三浴而三熏之[⑪]，听仆之所为，少安无躁[⑫]！愈顿首[⑬]。

【注释】

①信陵：战国时魏昭王之子魏无忌，世称信陵君，与孟尝君田文、春申君黄歇、平原君赵胜并称“战国四公子”，礼贤下士，广招宾客。执辔：手持马缰驾车。这里指信陵君亲自为隐士侯嬴牵马驾车一事。辔，驾驭牲口用的缰绳。

②仆：韩愈的谦称。

③砻(lóng)磨：砥砺，磨炼。

④文弊：文业凋敝。

⑤进士明经：唐代科举取士中两种主要的考试科目，进士科以诗赋为主，明经科以通晓经学义理为主。

⑥靡靡：随顺的样子。

⑦率然：轻率的样子。

⑧汲汲：急切的样子。

⑨阿曲：阿谀奉迎。

⑩灼灼：明白的样子。

⑪三浴而三熏：典出《国语·齐语》。管仲自鲁至齐，齐桓公以三浴三熏的礼节欢迎他，以示敬重。后管仲成为齐相，尽心辅佐齐桓公，

使齐桓公成为春秋时的第一位霸主。

⑫少：略微。

⑬顿首：跪而头叩地。敬辞，古时常用于书信中。

【译文】

韩愈敬告：承蒙您来信责备我不能像信陵君为人执辔牵马那样对待您。信陵君是战国的公子，他想要靠广纳贤士的名声使天下人倾服，所以才这么做。像我这样的人，自我衡量假如世上没有孔夫子，我连孔子的学生也做不成。因为您刚刚从山里走出来，有质朴厚重的好心意，恐怕还没有经过世事的磨砺锻炼。再者周朝以后文风凋敝，很多人著书立说，各自都自成一家，扰乱了圣人的宗旨，后辈们学习传授，驳杂而不连贯。所以我提出问题看看您的见解如何。如果您的见解已经成熟，我将把您作为我的朋友；如果您的见解没有成熟，我将与您讨论来去除您的错误认识，使它趋向正确。我可不像战国六公子把道像货物那样买卖交易。

当今天下人想做官，只有通过进士、明经考试，以及卿大夫的世袭家传。那些人大多数都熟悉时下的风俗，很会说话，能分辨形势，善于揣摩迎合人的意图。所以天下人都随声附和，风气一天天衰败，恐怕难以振兴起来。我尽力想举荐像您这样不惜舍弃生命、不计较个人利害得失的人入朝为官，来争取补救当前的社会风气，并不是说现在的公卿大夫中没有像您这样具有文学知识的人。因此，您不能用信陵君来和我比。

然而您穿着破旧的衣服，系着麻编的鞋，轻率地来敲我的门。我对待您，即使说没有尽到宾主之礼，也不能说我不愿接待您。您周游天下，从别人那里受到这种待遇大概很少，所以您就责备我招待不周，这正是我急于要寻求的那种人。您的批评虽然不完全恰当，但您不肯阿谀逢迎别人的精神是非常鲜明的。我不久就将请您来坐，用三浴三熏的礼节来接待您，请您听从我的安排，稍稍安静，不要急躁。韩愈致敬。

序

【题解】

本文选自《昌黎先生集》卷十九。这篇临别赠序写于孟郊奔赴溧阳任职时，开篇提出了“物不得其平则鸣”的著名论断，并有的放矢地从文学是时代精神的体现、作家需有真情实感才能作出优秀文章两方面展开论述，抒发了韩愈为友人鸣不平的愤懑之情，是文学史上的名篇。

送孟东野序[①]

【原文】

大凡物不得其平则鸣。草木之无声，风挠之鸣；水之无声，风荡之鸣。其跃也，或激之[②]；其趋也，或梗之；其沸也，或炙之[③]。金石之无声，或击之鸣。人之于言也亦然，有不得已者而后言。其歌也有思，其哭也有怀，凡出乎口而为声者，其皆有弗平者乎。

乐也者，郁于中而泄于外者也，择其善鸣者而假之鸣[④]。金石丝竹匏土革木八者[⑤]，物之善鸣者也。维天之于时也亦然，择其善鸣者而假之鸣；是故以鸟鸣春，以雷鸣夏，以虫鸣秋，以风鸣冬，四时之相推敚[⑥]，其必有不得其平者乎。

其于人也亦然，人声之精者为言，文辞之于言，又其精也，尤择其善鸣者而假之鸣。其在唐虞[⑦]，咎陶禹[⑧]，其善鸣者也，而假以鸣。夔弗能以文辞鸣[⑨]，又自假于《韶》

以鸣[10]。夏之时,五子以其歌鸣[11]。伊尹鸣殷[12],周公鸣周[13]。凡载于《诗》《书》六艺[14],皆鸣之善者也。周之衰,孔子之徒鸣之,其声大而远,《传》曰:"天将以夫子为木铎[15]。"其弗信矣乎。其末也,庄周以其荒唐之辞鸣[16]。楚,大国也,其亡也,以屈原鸣[17]。臧孙辰[18]、孟轲、荀卿,以道鸣者也。杨朱、墨翟、管夷吾[19]、晏婴[20]、老聃、申不害[21]、韩非[22]、慎到[23]、田骈[24]、邹衍[25]、尸佼[26]、孙武[27]、张仪[28]、苏秦之属[29],皆以其术鸣。秦之兴,李斯鸣之[30]。汉之时,司马迁、相如、扬雄,最其善鸣者也。其下魏晋氏,鸣者不及于古,然亦未尝绝也。就其善者,其声清以浮,其节数以急[31],其辞淫以哀,其志弛以肆,其为言也,乱杂而无章。将天丑其德,莫之顾邪?何为乎不鸣其善鸣者也?

唐之有天下,陈子昂[32]、苏源明[33]、元结[34]、李白、杜甫、李观[35],皆以其所能鸣。其存而在下者,孟郊东野始以其诗鸣,其高出魏晋,不懈而及于古,其他浸淫乎汉氏矣[36]。从吾游者,李翱、张籍其尤也。三子者之鸣信善矣,抑不知天将和其声而使鸣国家之盛邪?抑将穷饿其身,思愁其心肠,而使自鸣其不幸邪?三子者之命则悬乎天矣。其在上也奚以喜,其在下也奚以悲?

东野之役于江南也[37],有若不释然者,故吾道其命于天者以解之。

【注释】

①孟东野:孟郊。

②激:阻遏。

③炙:烧煮。

④假:借助。

⑤金石丝竹匏土革木:古时用这八种材料制成各类乐器。

⑥推敚:推移。敚,同"夺"。

⑦唐虞:唐尧和虞舜。

⑧咎陶:皋陶,也作"咎繇",相传在舜时掌管刑狱之事。

⑨夔(kuí):相传为舜时的乐官。

⑩《韶》:舜时乐曲名。《论语·述而》:"子在齐闻《韶》,三月不知肉味。"

⑪五子以其歌鸣:夏帝太康失德,他的五个弟弟作歌劝诫。

⑫伊尹:商初大臣。名伊,一说名挚,尹为官名。相传为有莘氏的陪嫁奴隶,后助汤灭夏。

⑬周公:姓姬名旦,周文王之子,周武王之弟,周成王之叔。西周初期杰出的政治家、军事家、思想家、教育家。

⑭六艺:指《诗经》、《书经》(即《尚书》)、《礼记》(汉代指《仪礼》)、《易经》、《乐经》、《春秋》六部儒家典籍。

⑮天将以夫子为木铎(duó):语出《论语·八佾》:"天下之无道也久矣,天将以夫子为木铎。"木铎,以木为舌的大铃。古时实施政教时振铃以警示众人,这里比喻为宣扬教化的人。

⑯庄周:庄子,道家代表人物,言多荒唐,著有《庄子》。

⑰屈原:名平,字原,战国时楚国人,著名的爱国诗人。代表诗篇有《离骚》《九歌》等。

⑱臧孙辰:臧文仲,春秋时鲁国大夫。

⑲管夷吾:姬姓,字仲,春秋时齐国人,任齐相,辅佐齐桓公称霸。

⑳晏婴：晏子，字平仲，春秋时齐国大夫，著名的政治家、思想家、外交家。

㉑申不害：申子，战国时期法家重要代表人物，著有《申子》。

㉒韩非：战国时韩国人，法家代表人物，也是法家思想的集大成者，著有《韩非子》。

㉓慎到：慎子，战国时赵国人，法家重要代表人物。

㉔田骈：战国时齐国人，与慎到齐名。

㉕邹衍：又称邹子，战国末期齐国人，五行学说创始人。

㉖尸佼：战国时晋国人，一说鲁国人，相传为商鞅之师，著有《尸子》。

㉗孙武：春秋时齐国人，字长卿，著名的军事家、政治家，著有《孙子兵法》。

㉘张仪：战国时魏国人，著名的纵横家，首创“连横”的外交策略。

㉙苏秦：战国时东周洛阳人，字季子，师从鬼谷子，著名的纵横家、外交家。

㉚李斯：战国末期楚国人，秦统一天下后被任为相。

㉛数以急：频繁而急促。

㉜陈子昂：唐文学家，字伯玉，也是唐代诗歌革新的先驱。

㉝苏源明：唐文人，字弱夫，与杜甫、元结等友善。

㉞元结：唐文人，字次山，有《元次山文集》。

㉟李观：字元宾，韩愈同年进士，有《李元宾文集》。

㊱浸淫：渐次接近。

㊲役于江南：当时孟郊赴溧阳(今属江苏常州)任县尉。

【译文】

大抵事物不能平静时就会发出鸣叫声。草木原本没有声音，风摇动它们就发出声响。水原本也没有声音，风激荡水面便发出声音。水浪飞溅，是有东西阻挡了它；水流湍急，是有东西阻塞了它；水花沸腾，是有火在烧煮它。钟磬等乐器原本没有声音，有人敲击就会响起来。人的言论也是如此，往往到了不得不说的时候才表达出来。人们歌唱是因为有所思虑，哭泣是因为有所感怀。凡是从嘴里发出来成为声音的，大概都有其不能平静的原因吧！

音乐，是将郁结在心中的情感宣泄出来，选择那些善于发声的东西并借助它们来发声。金、石、丝、竹、匏、土、革、木八种乐器，是最善于发声的事物。自然界对于时令也是如此，它选择那些善于发声的事物并借助它们来发声。因此春天用百鸟来鸣叫，夏天用响雷来轰鸣，秋天用虫声来吟唧，冬天用风声来呼啸。四季的递相推移，也一定有其不能平静的原因吧！

这种情况对于人来说也是一样。人类声音的精华是语言，文辞对于语言来说，又是它的精华所在，尤其要选择那些善于抒发感情的人并借助他们来表达。在唐尧、虞舜时代，皋陶和大禹是善于表达的人，因而借助他们来表达时代的声音。夔不能用文辞表达，他就借助《韶》乐来抒发胸臆。夏朝的时候，太康的五个弟弟借歌声表达自己的心声。伊尹表达了商朝的声音，周公表达了周朝的声音。凡是记载在《诗经》《尚书》等六种经典上的篇章，都是表达时代声音最好的。周朝衰微时，孔子和他的弟子大声疾呼，他们的声音宏大且传播长远。《论语》上说："上天将要以孔子为宣扬教化的人。"这难道不是真的吗？周朝末年，庄周用他荒诞不经的言辞来表达。楚国是个大国，它灭亡的时候，屈原便抒发了亡国之音。臧孙辰、孟轲、荀卿是用儒道来表达的。杨朱、墨翟、管夷吾、晏婴、老聃、申不害、韩非、慎到、田骈、邹衍、尸佼、孙武、张仪、苏秦这些人，都是用他们的思想主张来表达时代的声音。秦朝的兴起，李斯发出了秦朝的声音。汉朝时，司马迁、司马相如、扬雄是最善于表达时代声音的人。此后的魏晋两朝，善于表情达意的人都赶不上古代，但也从来不曾间断过。拿其中好的来说，他们的声音轻清而虚浮，节奏繁密而急促，辞藻艳丽而哀怨，志趣颓废而放纵，语言杂乱而没有章法。也许是上天厌弃这个时代德行败坏而不肯顾及他们吧！那么，为什么不让那些善于表达的人来表达呢？

唐朝一统天下，陈子昂、苏源明、元结、李白、杜甫、李观都用他们的才华来表达心声。那些仍然在世、地位低下的人中，孟郊开始用他的诗歌来表达感情。他的作品超出魏晋时人的水平，有些经过不懈努力已经达到古代作品的高度，其他作品也逐渐接近了汉代的水平。同我交往的人中，李翱和张籍最为出众。他们三位的文辞表达的确是好极了，但是不知道上天使他们的声音和谐，是想让他们来表现国家兴盛呢？还是想要使他们贫穷饥饿、心思愁苦，从而用作品表达自身的不幸遭遇呢？三人的命运，就掌握在上天手里了。那么，身居高位有什么可喜？身居下位又有什么可悲呢？

东野这次到江南去就职，心里好像有些事情难以释怀，所以我说了这些命运由天的话来开解他。

【题解】

本文选自《昌黎先生集》卷十九。这篇赠序写于送友人李愿归盘谷隐居之际，文中描绘了达官显贵、山林隐士、奴颜婢膝的小人对人生和仕途的不同态度，通过对比衬托，辛辣地嘲讽了穷奢极欲的大官僚和卑躬屈膝、攀附权贵之徒，流露出对归隐林泉生活的向往。

送李愿归盘谷序[①]

【原文】

太行之阳有盘谷[②]，盘谷之间，泉甘而土肥，草木丛茂，居民鲜少。或曰："谓其环两山之间，故曰盘。"或曰："是谷也，宅幽而势阻[③]，隐者之所盘旋[④]。"友人李愿居之。

愿之言曰："人之称大丈夫者，我知之矣：利泽施于人，名声昭于时；坐于庙朝[⑤]，进退百官[⑥]，而佐天子出令；其在外，则树旗旄[⑦]，罗弓矢，武夫前呵，从者塞途，供给之人，各执其物，夹道而疾驰；喜有赏，怒有刑；才畯满前[⑧]，道古今而誉盛德，入耳而不烦；曲眉丰颊，清声而便体[⑨]，秀外而惠中，飘轻裾[⑩]，翳长袖[⑪]，粉白黛绿者[⑫]，列屋而闲居，妒宠而负恃，争妍而取怜。大丈夫之遇知于天子，用力于当世者之所为也。吾非恶此而逃之，是有命焉，不可幸而致也。穷居而野处，升高而望远，坐茂树以终日，濯清泉以自洁。采于山，美可茹[⑬]；钓于水，鲜可

食。起居无时,惟适之安。与其有誉于前,孰若无毁于其后;与其有乐于身,孰若无忧于其心。车服不维[14],刀锯不加[15],理乱不知,黜陟不闻[16]。大丈夫不遇于时者之所为也,我则行之。伺候于公卿之门,奔走于形势之途[17],足将进而趑趄[18],口将言而嗫嚅[19],处秽污而不羞,触刑辟而诛戮,侥幸于万一,老死而后止者,其于为人贤不肖何如也?"

昌黎韩愈闻其言而壮之,与之酒而为之歌曰:"盘之中,维子之宫。盘之土,可以稼[20];盘之泉,可濯可沿[21]。盘之阻,谁争子所?窈而深[22],廓其有容;缭而曲,如往而复。嗟盘之乐兮,乐且无殃[23]!虎豹远迹兮,蛟龙遁藏;鬼神守护兮,呵禁不祥;饮则食兮寿而康。无不足兮奚所望?膏吾车兮秣吾马[24],从子于盘兮,终吾生以徜徉。"

【注释】

①李愿:唐隐士,号盘谷子,生平不详。盘谷:地名,在今河南济源。

②太行之阳:太行山的南面。阳,山的南面或水的北面。

③宅幽而势阻:位置幽静且地势险峻。

④盘旋:盘桓逗留。

⑤坐于庙朝:指在朝堂上官居高位。庙,宗庙。朝,朝廷。

⑥进退:使……进退,这里指官吏的任免升降。

⑦旗旄(máo):旗帜。旄,牦牛尾,常用作旗杆等物的装饰。

⑧才畯:才士俊杰。畯,通"俊"。

⑨便体:轻盈的体态。

⑩裾:衣服的前襟。

⑪翳(yì):遮蔽。
⑫黛:青黑色的颜料,古时女子用来画眉。
⑬茹:吃。
⑭车服:车马和服饰。这里代指官职。
⑮刀锯:古代刑具。这里代指刑罚。
⑯黜:贬职。陟:提拔。
⑰形势:权势。
⑱趑(zī)趄(jū):想往前走又不敢走的样子。
⑲嗫嚅:想说又不敢说的样子。
⑳稼:种植谷物。
㉑濯:洗涤。
㉒窈:深远曲折的样子。
㉓殃:或作“央”。
㉔膏:用油脂涂抹。秣:喂养(马匹)。

【译文】

太行山的南面有个地方叫盘谷,盘谷当中泉水甘洌,土地肥沃,草木繁茂,人烟稀少。有人说:“因为它环绕在两座山中间,所以叫‘盘’。”有人说:“这个山谷,位置幽静而且地势险阻,是隐士盘桓逗留的地方。”我的朋友李愿就居住在这里。

李愿是这样说的:“人们称为大丈夫的人,我是了解的。他对百姓施加恩泽,名声显扬于当世。他在朝堂上任职,任免百官,辅助皇帝发号施令。在朝堂外面,竖起旗帜,陈设弓箭,武士在前面吆喝开路,跟随的人塞满道路,服役的人各自拿着器物,在路两边飞快地奔走。他高兴时就给赏赐,发怒时就施以处罚。才士俊杰聚集在他跟前，谈古说今，赞扬他的美德，这些话听在耳里也不感到厌烦。那些眉毛弯弯、面颊丰腴、嗓音清脆、体态轻盈、容貌秀美、心智聪慧，飘动着轻柔的衣襟，遮掩着长长的袖子，用白粉抹脸、青黛画眉的美人，清闲地住在一排排的房子里，她们忌妒别人得宠，从而依仗自己的才貌斗美争妍来博取怜爱。这就是得到皇帝礼遇，在当代施展才能的大丈夫的所作所为。我并非因为厌恶这些而避开它，只是命中注定不能侥幸地取得。穷困地居住在荒野，登上高山眺望远处，整天坐在茂密的树荫下，在清澈的泉水里洗涤来保持自身的洁净。从山上采摘的果子，甘美可口；从水中钓来的鱼虾，鲜嫩好吃。日常作息没有定时，只安于舒适。与其当面受到称赞，不如在背后不受毁谤；与其身体纵情享受，不如心中无忧无虑。不受官职的束缚，不受刑罚的惩处，既不管国家的治乱，也不问官吏的升降。这是当代不得志的人的所作所为，我就是这样做的。伺候在公卿显贵的门前，奔走在趋炎附势的路上，想要抬脚进门却犹豫不决，想要开口说话却欲言又止，处在污浊低下的地位也不感到耻辱，触犯了刑法而受到诛杀，怀着侥幸有万分之一机会会成功的心理，直到老死才肯罢休，这样的人在为人方面是贤明还是不贤明呢？”

我听了李愿的话认为很豪迈，给他斟上酒，并为他做了一首歌：“盘谷当中，是你的房屋。盘谷的土地，可以耕种；盘谷的泉水，可以洗涤，还可以沿着水边散步。盘谷地形险阻，谁会来争夺你的住处？盘谷幽静深远，广阔而有涵容；迂回曲折，似乎向前走却绕了回来。啊！盘谷中的乐趣啊，快乐无穷无尽。虎豹足迹远离这儿啊，蛟龙也都逃避躲藏起来。鬼神守护啊，呵斥禁绝不祥。有吃有喝啊，长寿且健康。没有什么不满足的啊，还有什么奢望？给我的车子抹好油啊，喂好我的马，跟随你到盘谷去啊，让我毕生在这里安闲游荡。”

【题解】

本文选自《昌黎先生集》卷二十。此篇是韩愈为屡试不第的董邵南去往河北藩镇幕府谋职时而作的送别赠言。文章采用欲抑先扬的含蓄表达方式，暗指时移世易，燕赵风俗古今早已不同，表达了当今朝廷急需有识之士帮助圣主廓清宇内，不必托身幕府的劝谏。文章篇幅虽小，却含意深刻，表达了韩愈反对分裂、主张国家统一的立场。

送董邵南序[①]

【原文】

燕赵古称多感慨悲歌之士[②]。董生举进士，连不得志于有司[③]，怀抱利器[④]，郁郁适兹土[⑤]。吾知其必有合也[⑥]，董生勉乎哉！

夫以子之不遇时，苟慕义强仁者皆爱惜焉[⑦]，矧燕赵之士出乎其性者哉[⑧]！然吾尝闻风俗与化移易，吾恶知其不异于古所云邪[⑨]？聊以吾子之行卜之也[⑩]。董生勉乎哉！

吾因子有所感矣。为我吊望诸君之墓[⑪]，而观于其市，复有昔时屠狗者乎[⑫]？为我谢曰[⑬]："明天子在上[⑭]，可以出而仕矣。"

【注释】

①董邵南：寿州安丰（今安徽寿县）人，唐宪宗时，屡试未第，打算前往

河北托身藩镇幕府。

②感慨悲歌之士：指荆轲、高渐离等人。

③有司：这里指主管选拔人才的官吏。

④利器：比喻杰出的才能。

⑤适：到，往。兹土：指燕赵之地。

⑥有合：有合意的际遇。

⑦苟：假设，如果。

⑧矧(shěn)：况且。

⑨恶：哪里，怎么。

⑩聊：姑且。

⑪望诸君：战国时燕国名将乐毅，因政治失意，离燕至赵，赵封于观津(今河北武邑)，号为望诸君。

⑫屠狗者：泛指如高渐离般隐于市井的侠义之士。

⑬谢：告诉。

⑭明天子：指唐宪宗。

【译文】

自古就说，燕赵一带有许多慷慨激昂、高歌悲壮的义士。董生参加进士科考，接连几次都未被主考官录取，空怀着卓越的才干，郁郁寡欢地到那个地方去。我料想他此行定会有合意的际遇。董生，好好努力吧！

以你的才能却碰不上好时机，如果是思慕正义、力行仁道的人都会爱惜你，何况燕赵一带的侠义之士向往仁义是出于他们的本性呢！然而我曾听说风俗是随着教化而转变的，我怎么知道今天燕赵的风俗与古时说的没有差异呢？姑且拿你这次的出行来检验它好了。董生，好好努力吧！

因你的这次出行，我不禁有些感触。请你替我凭吊一下望诸君乐毅的坟墓，并请你到集市上看看，还有没有像古时那样以杀狗为业的豪杰？替我告诉他们说：“现在圣明的天子在位，可以出来做官了。”

【题解】

本文选自《昌黎先生集》卷二十。文章通篇充满对复州刺史崔君的歌颂以及对百姓的祝福。此篇赠序于赞颂背后暗含对官吏横征暴敛、不恤民情的指摘，以及对崔君施行仁政的劝谏。全文微言深义，旁敲侧击，明褒暗讽，是韩愈民本思想的反映。

赠崔复州序[①]

【原文】

有地数百里，趋走之吏，自长史、司马已下数十人[②]，其禄足以仁其三族[③]，及其朋友故旧。乐乎心，则一境之人喜；不乐乎心，则一境之人惧。丈夫官至刺史亦荣矣！

虽然，幽远之小民，其足迹未尝至城邑，苟有不得其所[④]，能自直于乡里之吏者鲜矣，况能自辨于县吏乎！能自辨于县吏者鲜矣，况能自辨于刺史之庭乎！由是刺史有所不闻，小民有所不宣[⑤]。赋有常而民产无恒，水旱疠疫之不期[⑥]，民之丰约悬于州[⑦]。县令不以言，连帅不以信[⑧]，民就穷而敛愈急，吾见刺史之难为也。

崔君为复州，其连帅则于公[⑨]。崔君之仁，足以苏复人；于公之贤，足以庸崔君[⑩]。有刺史之荣而无其难为者，将在于此乎！

愈尝辱于公之知，而旧游于崔君，庆复人之将蒙其休泽也[⑪]，于是乎言。

【注释】

①崔复州：韩愈友人，曾任复州刺史，故有此称。

②长史、司马：二者皆为刺史的佐吏。

③三族：父族、母族、妻族。

④不得其所：这里指受到不合理、不公正的待遇。

⑤宣：表达，抒发（不满的情绪）。

⑥疠疫：瘟疫。

⑦悬：系连，关联。

⑧连帅：指节度使。

⑨于公：于頔（dí），字允元，时为山南东道节度使，复州归其所辖。

⑩庸：任用。

⑪休泽：恩泽，恩惠。

【译文】

管辖方圆几百里的土地，为他奔走、听他驱使的吏役，从长史、司马以下有几十个人。他的俸禄足以用来施恩于家族，照顾到朋友和旧交。他心情高兴，那么一州的百姓都会欢喜；心中不快，那么州内的百姓都会为之恐惧。大丈夫当上刺史这个官，也算荣耀了！

虽然这样，在闭塞、偏远地区的老百姓，他们的足迹未曾到过城里，假如遇到了不合理的事情，能够自己到乡官那里申诉的已经很少了，何况能自己到县衙官吏那里去辩明是非的呢？能够自己到县衙官吏那里去辩明是非的已经很少了，何况能自己到刺史衙署那里去辩理的呢！由于这样，作为一州刺史必定会有没有听到的事，而老百姓们则有说不出的苦情。国家每年征收的赋税有固定的数额，而老百姓的收成和产业却没有定数，洪涝、旱灾、瘟疫不可预料，百姓衣食生活是富足还是贫乏都取决于州官。县令不把实际情况如实上报，节度使又不相信州刺史，人民日趋贫困而官府征收赋税却愈发紧迫，我看刺史这个官也是非常难做的啊！

崔君做复州刺史，他的上司是节度使于公。崔君的仁德，完全能够使复州人民的生活恢复生机；于公的贤明，完全能够任用崔君。享有刺史的荣耀而没有做刺史的难处，将会是在崔君任复州刺史这里吧！

我曾经承蒙于公的知遇，而崔君又是我的老朋友，我庆幸复州百姓将要蒙受他们两位的恩泽，于是写了这些话。

【题解】

本文选自《昌黎先生集》卷二十。韩愈以“魁奇之民”立意，采用白描的手法，由衡山而郴州，一步步突出此处的地杰人灵。由于此篇赠序对象为道士，既要达到辟老的目的，又要避免唐突冲撞，故而行文显得奇变诡谲。文末以反问点明廖道士并非所寻找“同道”中人，表现出委婉的讽刺。

送廖道士序[1]

【原文】

五岳于中州[2]，衡山最远[3]。南方之山，巍然高而大者以百数，独衡为宗。最远而独为宗，其神必灵。衡之南八九百里，地益高，山益峻，水清而益驶，其最高而横绝南北者岭[4]。郴之为州[5]，在岭之上，测其高下，得三之二焉[6]。中州清淑之气，于是焉穷。气之所穷，盛而不过，必蜿蟺扶舆[7]，磅礴而郁积。衡山之神既灵，而郴之为州，又当中州清淑之气，蜿蟺扶舆，磅礴而郁积，其水土之所生，神气之所感，白金水银丹砂石英钟乳橘柚之包[8]，竹箭之美[9]，千寻之名材[10]，不能独当也。意必有魁奇忠信材德之民生其间，而吾又未见也，其无乃迷惑溺没于老佛之学而不出邪？

廖师郴民[11]，而学于衡山，气专而容寂，多艺而善游，岂吾所谓魁奇而迷溺者邪？廖师善知人，若不在其身，必

在其所与游。访之而不吾告,何也?于其别,申以问之。

【注释】

①廖道士:名法正,一说名通玄,湖南郴州人。

②五岳:指东岳泰山、西岳华山、南岳衡山、北岳恒山和中岳嵩山。中州:指中原地区。

③衡山:南岳衡山,在今湖南衡阳。

④岭:指五岭中的骑田岭。

⑤郴:今湖南郴州。

⑥三之二:三分之二。

⑦蜿蟺(shàn):盘旋屈曲的样子。扶舆:盘旋上升的样子。

⑧白金:银的古称。丹砂:朱砂,一种矿物,可以用来炼汞。石英:一种质地坚硬的矿物,多呈乳白色。钟乳:又称石钟乳。

⑨竹箭:细小的竹子。

⑩寻:古代长度单位,八尺为寻。“千寻”谓高大。

⑪师:对和尚或道士的尊称。

【译文】

五岳相对中原地区来说,数衡山距离最远。南方巍然高大的山岭有上百个,而唯独以衡山为首。距离最远却成为宗主,衡山的神必然很灵验。衡山以南八九百里,地势越来越高,山势越来越险峻,水流清澈且愈发迅疾,其中地势最高又横贯南北的就是岭。郴州这个地方就在岭上,估测郴州的地势高低,大约是在山岭的三分之二处。中原一带的清和之气,穷尽于郴州。清和之气达到极致,盛大又不可越过,必然会萦回曲折、盘旋升腾,盛大而积聚。衡山的神既然灵验,而郴州又正处于中原地区清和之气曲折萦回、盘旋升腾、盛大而积聚的地方，那么这里水土所生长的东西，神妙之气所感应的事物，如白金、水银、丹砂、石英、钟乳、橘柚等特产，以及秀美的竹箭、高大的名贵木材，也不能单独承担。我想肯定有杰出、特异、忠实、诚信、才德兼备的人生活在这里，而我却不曾见到。他莫非是迷惑沉溺在佛老的学说中而不出来吗？

廖师是郴州人，在衡山求学，志气专一而面容安详宁静，多才多艺又善于交游，他难道就是我所说的杰出却迷惑沉溺的人吗？廖师善于了解人，如果这种人不是他自己，那就必定在他所交游的人当中。我曾问过他，他却不告诉我，为什么呢？在他即将临别之际，顺便说出来询问廖师。

【题解】

本文选自《昌黎先生集》卷二十。韩愈从赞颂秀才王含先祖入手，列举颜渊、曾参等人的遭遇，希望他能逢困厄而不改其志，以古圣先贤为榜样，修己自治。此篇行文盘旋曲折、吞吐含蓄，将对良臣被废的愤慨，权奸当道的不满，仕途不顺的无可奈何皆寄于不言中。

送王秀才序[①]

【原文】

吾少时读《醉乡记》[②]，私怪隐居者无所累于世[③]，而犹有是言，岂诚旨于味邪[④]？及读阮籍陶潜诗[⑤]，乃知彼虽偃蹇[⑥]，不欲与世接，然犹未能平其心，或为事物是非相感发，于是有托而逃焉者也。若颜氏子操瓢与箪[⑦]，曾参歌声若出金石[⑧]，彼得圣人而师之，汲汲每若不可及[⑨]，其于外也固不暇，尚何曲蘖之托而昏冥之逃邪[⑩]？吾又以为悲醉乡之徒不遇也！

建中初[⑪]，天子嗣位，有意贞观开元之丕绩[⑫]，在廷之臣争言事。当此时，醉乡之后世，又以直废[⑬]。吾既悲《醉乡》之文辞，而又嘉良臣之烈，思识其子孙。今子之来见我也，无所挟，吾犹将张之。况文与行不失其世守，浑然端且厚。惜乎吾力不能振之，而其言不见信于世也！于其行，姑与之饮酒。

【注释】

①王秀才：韩愈有两篇《送王秀才序》，本篇中的王秀才指王含。

②《醉乡记》：唐初隐逸诗人王绩所作。

③累：牵累，牵挂。

④旨于味：以酒味为甘，这里指贪好美酒。旨，美味。

⑤阮籍：三国时魏文学家，字嗣宗，"竹林七贤"之一，有《咏怀》八十二首、《大人先生传》等代表作。陶潜：陶渊明，字元亮，世称"靖节先生"，被誉为"隐逸诗人之宗"，有《陶渊明集》。

⑥偃蹇(jiǎn)：傲慢之意。

⑦颜氏子操瓢与箪：语出《论语·雍也》："子曰：'贤哉回也！一箪食，一瓢饮，在陋巷，人不堪其忧，回也不改其乐。贤哉，回也！'"颜氏子，即颜渊，孔子的得意门生。箪：古代盛饭的竹器。

⑧曾参歌声若出金石：语出《庄子·让王》："曳縰而歌《商颂》，声满天地，若出金石。"曾参，曾子，字子舆，儒家学派的重要代表人物。

⑨汲汲：形容努力追求的样子。

⑩曲糵：酿酒的曲，这里代指酒。

⑪建中：唐德宗年号。

⑫贞观：唐太宗年号，有"贞观之治"一说。开元：唐玄宗年号，有"开元盛世"一说。

⑬醉乡之后世，又以直废：王含因直言劝谏被贬。

【译文】

我年少时读《醉乡记》，暗自责怪隐居的人对世间无所牵挂，怎么还写这样的文章，难道是确实爱好美酒吗？等到读了阮籍、陶潜的诗，才知道他们虽然高傲，不愿和世人接触往来，但是却不能使自身心平气和，有时还因为事情的对错有所感触，于是寄托在美酒中逃避到醉乡去。像颜回箪食瓢饮怡然自乐，曾参意气昂扬，唱歌有金石之音，他们以孔子为老师，急切求道，好像赶不上圣人的样子，对于外界事物都无暇顾及，哪里会想到借酒逃避到醉乡去呢？但是，我又为逃于醉乡的人没有遇上圣人感到悲伤。

建中初年，天子继位，有意于建立贞观、开元那样大的功业，在朝中做官的人都争相进谏、讨论政事。这个时候，醉乡人的后代却因为直言劝谏被贬黜。我既悲叹《醉乡记》的文辞，又嘉许良臣的忠烈，想结识他的子孙。现在你能来见我，就算没有任何依仗，我也要表扬你。何况你的文章与品行都有先世遗风，为人端正淳厚。只可惜我的能力不能荐举你，说的话又不为世人信服。在你离开时，我们姑且一起饮酒吧。

【题解】

本文选自《昌黎先生集》卷二十。李端公即李益，任职于幽州节度使刘济幕下，序文主旨是希冀李益能劝导刘济率众归顺朝廷。文章详尽地描写刘济接待朝廷使臣的恭谨态度，嘉其贤以顺其心、叙天意以动其心、释其疑以坚其心，体现了韩愈反对藩镇割据，渴望国家统一的思想。

送幽州李端公序[①]

【原文】

元年[②]，今相国李公为吏部员外郎[③]，愈尝与偕朝，道语幽州司徒公之贤[④]，曰："某前年被诏，告礼幽州[⑤]，入其地，迓劳之使里至[⑥]，每进益恭。及郊，司徒公红帓首[⑦]，靴袴握刀，左右杂佩，弓韔服[⑧]，矢插房[⑨]，俯立迎道左。某礼辞曰：'公天子之宰[⑩]，礼不可如是！'及府，又以其服即事，某又曰：'公三公[⑪]，不可以将服承命！'卒不得辞。上堂即客阶，坐必东向。"愈曰："国家失太平，于今六十年矣[⑫]，夫十日十二子相配[⑬]，数穷六十，其将复平，平必自幽州始，乱之所出也[⑭]。今天子大圣，司徒公勤于礼，庶几帅先河南北之将，来觐奉职如开元时乎[⑮]！"李公曰："然。"今李公既朝夕左右[⑯]，必数数为上言，元年之言殆合矣。

端公岁时来寿其亲东都[⑰]，东都之大夫士莫不拜于

门。其为人佐甚忠，意欲司徒公功名流千万岁，请以愈言为使归之献！

【注释】

①李端公：中唐著名边塞诗人李益，字君虞。

②元年：唐宪宗元和元年。

③相国李公：名藩，字叔翰，元和元年为吏部员外郎。

④幽州司徒公：刘济于贞元二十一年迁检校司徒。

⑤告礼幽州：贞元二十一年，德宗驾崩，李藩奉命往幽州告丧。

⑥迓(yà)劳：迎接慰劳。里：或作“累”。

⑦帓首：头巾。

⑧韔(chàng)：装弓的袋子。

⑨房：装箭的容器。

⑩宰：宰臣。

⑪三公：古代朝廷中最显贵的三个官职的合称，历代说法不一。唐代以太尉、司徒、司空为三公。

⑫国家失太平，于今六十年矣：自安史之乱起，至元和五年，将近六十年。

⑬十日：指天干，即甲乙丙丁戊己庚辛壬癸。十二子：指地支，即子丑寅卯辰巳午未申酉戌亥。天干与地支相配六十次为一个轮回。

⑭平必自幽州始，乱之所出也：安史之乱起于幽州，恢复太平也将从幽州开始。

⑮覲：朝见。

⑯朝夕左右：指与天子朝夕相处。

⑰寿：动词，祝寿。

【译文】

元和元年，当今李相国做吏部员外郎，我曾和他一起上朝，谈到幽州司徒公的贤德，他说道："我前年奉诏命到幽州告丧，进入幽州地界后，每前进一里路就有迎接慰劳的使者，越前进就越恭敬。等到了幽州城郊，司徒公系着红额巾、脚穿靴、身着套裤、手握佩刀，左右身旁挂戴着各种佩玉，弓装在弓袋里，箭插在箭匣里，俯首躬身在道路左侧迎接。我以礼辞谢说：'您是天子的宰臣，按礼不必这样。'到了府里，他又穿着将服行事。我又说：'您位列三公，不必穿着武将之服接受诏命。'最终没能推辞掉。进到公堂后，司徒公坐在客位，坐西向东。"我说："国家不太平到现在已经六十年了，天干和地支相配，六十为一轮，天下又将要恢复太平了。恢复太平必然从幽州开始，它是叛乱的始发地。当今天子非常圣明，司徒公又勤修礼义，也许会率领原先河南河北的兵将来觐见天子、接受任职，就像开元时那样吧？"李公说："是的。"现在李公早晚都辅佐在天子身边，屡屡对天子献议，上述元年说的话大概可以实现了。

李端公今年来东都洛阳为父亲祝寿，洛阳的士大夫没有不上门拜见的。他忠诚地辅佐，想让司徒公的功业名声流传于千万年后，请您将我的序作为您出行回返的献礼吧！

【题解】

本文选自《昌黎先生集》卷二十一。韩愈因上书言事触怒圣颜被贬广东阳山，此地山川险阻、人文落后，后生区册不畏艰辛远道来访，韩愈为嘉勉区生并以之自慰自勉，于是写下此篇送别赠言。文章表明了韩愈身处逆境，尊儒传道之志未变，安贫乐道、不为名利所扰的坚定信念。

送区册序[①]

【原文】

阳山[②]，天下之穷处也。陆有丘陵之险，虎豹之虞[③]。江流悍急，横波之石，廉利侔剑戟[④]，舟上下失势，破碎沦溺者，往往有之。县郭无居民，官无丞尉。夹江荒茅篁竹之间[⑤]，小吏十余家，皆鸟言夷面[⑥]。始至，言语不通，画地为字，然后可告以出租赋，奉期约。是以宾客游从之士，无所为而至。

愈待罪于斯[⑦]，且半岁矣。有区生者，誓言相好，自南海挐舟而来[⑧]。升自宾阶[⑨]，仪观甚伟；坐与之语，文义卓然。庄周云："逃空虚者，闻人足音跫然而喜矣[⑩]。"况如斯人者，岂易得哉！入吾室，闻《诗》《书》仁义之说，欣然喜，若有志于其间也。与之翳嘉林[⑪]，坐石矶，投竿而渔，陶然以乐[⑫]，若能遗外声利，而不厌乎贫贱也。

岁之初吉[⑬]，归拜其亲，酒壶既倾，序以识别[⑭]。

【注释】

①区册：生平不详，韩愈被贬为连州阳山令时与其结交。

②阳山：县名，在今广东清远。

③虞：忧虑，担忧。

④廉利：棱角锋利。侔(móu)：相等。

⑤荒茅：荒芜的茅草丛。篁竹：竹林。

⑥鸟言夷面：说着难懂的方言，长着蛮夷人的面貌。

⑦待罪：古时官吏常担心为官不称职而获罪，故有此谦辞。

⑧拏(ná)：牵引。

⑨宾阶：西阶。古时接客之礼，宾从西阶上，主从东阶上。

⑩跫(qióng)然：走路时的脚步声。

⑪嘉林：美好的林木。

⑫陶然：快乐，喜悦。

⑬岁之初吉：指年初。

⑭识：通“志”，记住。

【译文】

阳山是天下贫瘠闭塞的地方。陆地上有险峻的丘陵，还要担忧虎豹。江中水流迅猛湍急，横在江面的礁石，像剑戟一样锋利，上下颠簸的船只，在水流中失去控制，撞碎而沉没的事故时常发生。县城里没有居民，官衙中没有县丞和县尉。沿江两岸荒芜的茅草和竹林中，住着十多家小吏役，说着难懂的方言，长着外族人的面孔。我刚到这里时，语言不通，靠着在地上写字，才能把按期缴纳租赋的命令及遵守期限规章的事项告诉他们。因此宾客和与我相交的读书人，没有理由要到这儿来。

我来到此地做官已将近半年了。有个姓区的年轻人愿意和我结交,从南海郡乘船来到这里。他从西边台阶上来,仪表伟岸堂堂。坐下与他交谈,发现他文辞思想卓越不群。庄周说:"巡行在故墓间的人,听到别人的脚步声就感到欣喜。"何况像区生这样的人,难道是容易得到的吗?区生走进我的屋子里,听我谈论《诗经》《尚书》中的仁义道理,脸上露出欣喜的神情,好像有志在那些学问中。我们在美好的林木下乘凉,坐在水边的岩石上,抛出鱼竿去钓鱼,喜悦陶醉其中,好像能够忘却名利,不厌弃贫贱的生活。

今年年初,区生要回家探亲,我们喝完了酒,就写下这篇序,以记离别之情。

【题解】

本文选自《昌黎先生集》卷二十一。此篇表面看似谈论书法技艺，中心却在批判佛道。文章着眼于高闲、张旭两者草书优劣的阐述，说明学习书法所需的喜好、得失、奋发、感触等情感与佛家宗旨是背道而驰的，借此暗斥佛教的“色空”说，篇末带讥，婉而多讽。

送高闲上人序[①]

【原文】

苟可以寓其巧智，使机应于心，不挫于气，则神完而守固，虽外物至，不胶于心[②]。尧、舜、禹、汤治天下，养叔治射[③]，庖丁治牛[④]，师旷治音声[⑤]，扁鹊治病[⑥]，僚之于丸[⑦]，秋之于弈[⑧]，伯伦之于酒[⑨]，乐之终身不厌，奚暇外慕！夫外慕徙业者，皆不造其堂，不哜其胾者也[⑩]。

往时张旭善草书[⑪]，不治他伎，喜怒窘穷，忧悲愉佚，怨恨思慕酣醉，无聊不平，有动于心，必于草书焉发之。观于物，见山水崖谷，鸟兽虫鱼，草木之花实，日月列星，风雨水火，雷霆霹雳，歌舞战斗，天地事物之变，可喜可愕，一寓于书。故旭之书，变动犹鬼神，不可端倪[⑫]，以此终其身而名后世。

今闲之于草书，有旭之心哉？不得其心而逐其迹，未见其能旭也。为旭有道：利害必明，无遗锱铢[⑬]，情炎于中[⑭]，利欲斗进，有得有丧，勃然不释，然后一决于书，而

后旭可几也。今闲师浮屠氏[15]，一死生，解外胶，是其为心必泊然无所起，其于世必淡然无所嗜。泊与淡相遭，颓堕委靡，溃败不可收拾，则其于书，得无象之然乎！然吾闻浮屠人善幻，多技能，闲如通其术，则吾不能知矣。

【注释】

①高闲上人：湖州乌程（今浙江湖州）人，工于草书。上人，对僧人的尊称。

②胶：纠缠纷乱的样子。

③养叔：养由基，春秋时楚国人，古代著名的神射手。《史记·周本纪》："楚有养由基者，善射者也。去柳叶百步而射之，百发而百中之。"

④庖丁：名丁的厨师。庖丁为文惠君解牛，事见《庄子·养生主》。现常用"庖丁解牛"形容技艺精湛，运用自如。

⑤师旷：春秋时著名乐师，名旷，字子野。

⑥扁鹊：姓秦，名越人，春秋战国时的名医。

⑦僚：姓熊，名宜僚，春秋时楚国勇士。"宜僚弄丸"事见《左传·哀公十六年》。

⑧秋：人名，因下棋而出名，故称弈秋。《孟子·告子上》："弈秋，通国之善弈者也。"

⑨伯伦：刘伶，字伯伦，魏晋时期诗人，"竹林七贤"之一，嗜酒。

⑩哜（jì）：稍微尝一点。胾（zì）：切成大块的肉。

⑪张旭：字伯高，世号张颠，唐朝吴县（今江苏苏州）人。善草书，被誉为"草圣"，书法与怀素齐名。

⑫端倪：动词，指推寻事物发展的本末始终。

⑬锱铢:旧制锱为一两的四分之一,铢为一两的二十四分之一。比喻极其微小的数量。

⑭情:或作"精"。

⑮浮屠氏:这里指佛法。

【译文】

如果能把技巧和智慧寄托在某一事物上,行动和心意内外相应,志气不受挫伤,那么就会精神充沛而意志坚定。即使有外界事物的影响,也不会因此扰乱心境。尧、舜、禹、汤治理天下,养由基练习箭法,庖丁从事解牛,师旷演奏音乐,扁鹊诊治疾病,宜僚耍弄弹丸,弈秋钻研棋艺,刘伯伦嗜好喝酒,他们都终生以此为乐而不厌倦,哪有空闲时间爱慕别的事物?那些爱慕别的事物而屡次改变自己专业的人,是不能真正登堂入室,稍稍享受到美味的。

从前张旭擅长草书,不再钻研其他技艺,当喜怒、困窘、忧愁、快乐、怨恨、思念、酣醉、无聊、不平等情绪触动心扉,他一定会在草书中表达出来。他观察事物,看到山水、崖谷、鸟兽、虫鱼、草木的花果、日月、星辰、风雨、水火、雷霆、霹雳、歌舞、战斗、天地事物的千变万化,引起人们欣喜和惊奇的感受,他都会把它们寄托在书法中。因此张旭的书法,变化生动犹如神出鬼没,让人难以捉摸,他专于书法终其一生,也因此名扬后世。

现在高闲对于草书,能有张旭这样的心性吗?不能学到他的心性,只是追求表面的形似,看不出他能达到张旭那样的境界。要成为张旭那样的书法家,是有一定途径的,那就是:是非利害必须分明,即使一丝一毫也不能放过,胸中有强烈的感情燃烧,追求成功的欲望不可遏止,虽然有得有失,但旺盛的意志不肯消退,然后把这些情感完全融汇在书法中，这样才可以接近张旭的书法水平。现在高闲学习佛法，他把生和死看成一样的事情，排除身外之物的纠缠，这样他的性情必定平静得不起波澜，他对于世事必定十分淡漠，没有什么爱好。平静加上淡漠，情绪颓丧、萎靡不振，精神崩溃而不可收拾。那么，他在书法上岂不是也像这样吗？然而我听说佛家善于幻术，有很多技巧，高闲如果通晓这些幻术，那么他的成就就是我无法推知的了。

【题解】

本文选自《昌黎先生集》卷二十一。此篇是韩愈为前往河阳乌公军幕中赴任的温处士而写的送别赠言，赞扬了乌大夫广揽人才的美德。全文匠心独具，以譬喻开头，以侧面烘托为手段，既体现了为朝廷得贤士倍感欣喜之情，又流露出对好友远去千里的依依难舍之意。

送温处士赴河阳军序[①]

【原文】

伯乐一过冀北之野[②]，而马群遂空。夫冀北马多天下，伯乐虽善知马，安能空其群邪？解之者曰："吾所谓空，非无马也，无良马也。伯乐知马，遇其良，辄取之，群无留良焉。苟无良，虽谓无马，不为虚语矣。"

东都固士大夫之冀北也[③]，恃才能深藏而不市者，洛之北涯曰石生[④]，其南涯曰温生[⑤]。大夫乌公以铁钺镇河阳之三月[⑥]，以石生为才，以礼为罗，罗而致之幕下[⑦]；未数月也，以温生为才，于是以石生为媒，以礼为罗，又罗而致之幕下。东都虽信多才士[⑧]，朝取一人焉，拔其尤[⑨]，暮取一人焉，拔其尤。自居守河南尹以及百司之执事[⑩]，与吾辈二县之大夫[⑪]，政有所不通，事有所可疑，奚所咨而处焉？士大夫之去位而巷处者，谁与嬉游？小子后生，于何考德而问业焉？缙绅之东西行过是都者[⑫]，无所礼于其庐。若是而称曰："大夫乌公一镇河阳，而东都处士之

庐无人焉。"岂不可也?

夫南面而听天下[13],其所托重而恃力者,惟相与将耳。相为天子得人于朝廷,将为天子得文武士于幕下,求内外无治,不可得也。愈縻于兹[14],不能自引去,资二生以待老。今皆为有力者夺之,其何能无介然于怀邪[15]?生既至,拜公于军门,其为吾以前所称为天下贺,以后所称为吾致私怨于尽取也!留守相公首为四韵诗歌其事[16],愈因推其意而序之。

【注释】

①温处士:名造,字简舆,并州祁县(今陕西祁县)人。早年过着隐居生活,后官至礼部尚书。

②伯乐:春秋秦穆公时人,姓孙,名阳,以善相马著称。

③东都:指洛阳。

④石生:名洪,字浚川,颇有名望。

⑤温生:指温造。

⑥乌公:乌重胤,元和五年(810)任河阳军节度使、御史大夫。铁钺:斫刀和大斧,古时刑具。指帝王赐予的刑罚、杀戮大权。这里借指乌重胤节度使的身份。

⑦罗:网罗,招纳。幕下:幕府中。

⑧信:果真,的确。

⑨尤:指最优秀的人才。

⑩执事:指官员。

⑪二县:指当时的洛阳县和河南县。韩愈时任河南县令,故称"吾辈"。

⑫缙绅:古时官吏插笏于绅带间,这里借指官员。

⑬南面：古时以坐北朝南为尊位，帝位朝南，故这里代指皇帝。

⑭縻：束缚，羁留。

⑮介然：有心事、无法释然的样子。

⑯留守相公：指东都留守郑余庆。

【译文】

伯乐一经过冀州北部的原野，马群就空了。冀北是天下产马最多的地方，伯乐虽然擅长相马，怎么能使那里的马群都空了呢？解释这个问题的人说："我说的空，不是指没有马，而是指没有好马。伯乐相马，一碰到好马就把它挑走，因此马群中没有留下一匹好马。如果没有好马，即使说没有马，也不算是假话。"

东都洛阳，本就是士大夫聚集的"冀北"。凭借真才实学却隐居不肯出仕的人中，洛水北岸有个叫作石生，洛水南岸有个叫作温生。御史大夫乌公以节度使的身份镇守河阳的第三个月，认为石生是个人才，就依照礼节把他网罗到幕府中。没过几个月，乌公又认为温生是个人才，于是通过石生介绍，又依礼把他招请到幕府中。东都虽然的确有许多有才德的士人，但禁不住早上挑走一个，选拔了其中的尖子；晚上挑走一个，又选拔了其中的尖子。这样一来，从东都留守、河南尹起，直到各部门的长官和我们洛阳、河南两县的官吏，如果政令上碰到障碍，事情上遇到疑难，到哪里去咨询从而得到处理呢？辞官闲居的士大夫，跟谁一起郊游酬唱呢？青年后辈又到哪里去考察德行、请教学业呢？东来西往经过洛阳的官员，也无法到他们的住所去拜谒了。像这样的情况，我们说："御史大夫乌公一镇守河阳，东都处士的住屋中就再也没有人了。"难道不可以吗？

君主居帝位处理天下大事，所依靠的得力之人，只有宰相和大将罢了。宰相替皇帝搜罗人才招致到朝堂上，大将替皇帝选取能文能武的人到军帐里。如果这样，国家内外治理不好是不可能的。我羁留在这里任职，不能引身而退，想依靠二生的帮助度过晚年。如今他们都被有权势的人抢走了，怎么能不使我耿耿于怀呢？温生到任后，在军门拜见了乌公，正如我前面所说的，应替天下人祝贺；就像我后面所说的，我对本地贤才被选空这件事是抱怨的。留守相公先写了一首四韵诗来歌颂这件事，我便推照他的意思，写了这篇序文。

哀辞祭文

【题解】

本文选自《昌黎先生集》卷二十二。文章叙述了作者与出自书香仕宦之家、因品学兼优而被赏识提拔的欧阳詹相识交往的过程，全文抓住欧阳生交友诚、事亲孝两个主要品行，流露出作者对亡友德高才俊却不显荣于生前的遗憾和悲哀。文章叙事与议论结合，熔铸诗赋体式，言辞恳恻，哀情恸人。

欧阳生哀辞[1]

【原文】

欧阳詹世居闽越[2]，自詹已上，皆为闽越官，至州佐县令者，累累有焉。闽越地肥衍，有山泉禽鱼之乐，虽有长材秀民，通文书吏事，与上国齿者[3]，未尝肯出仕。今上初[4]，故宰相常衮为福建诸州观察使，治其地。衮以文辞进，有名于时，又作大官，临莅其民[5]。乡县小民，有能诵书作文辞者，衮亲与之为客主之礼，观游宴飨[6]，必召与之。时未几，皆化翕然[7]。詹于时独秀出，衮加敬爱，诸生皆推服。闽越之人举进士由詹始。

建中贞元间[8]，余就食江南[9]，未接人事[10]，往往闻詹名闾巷间[11]，詹之称于江南也久。贞元三年，余始至京师举进士，闻詹名尤甚。八年春，遂与詹文辞同考试登第，始相识。自后詹归闽中，余或在京师他处，不见詹久者，惟詹归闽中时为然。其他时与詹离，率不历岁，移时则必

合，合必两忘其所趋，久然后去，故余与詹相知为深。

詹事父母尽孝道，仁于妻子，于朋友义以诚，气醇以方[12]，容貌嶷嶷然[13]。其燕私善谑以和[14]，其文章切深，喜往复，善自道。读其书，知其于慈孝最隆也[15]。十五年冬，余以徐州从事朝正于京师[16]，詹为国子监四门助教[17]，将率其徒伏阙下[18]，举余为博士，会监有狱[19]，不果上。观其心，有益于余，将忘其身之贱而为之也。

呜呼，詹今其死矣！詹，闽越人也。父母老矣，舍朝夕之养以来京师，其心将以有得于是，而归为父母荣也。虽其父母之心亦皆然：詹在侧，虽无离忧，其志不乐也；詹在京师，虽有离忧，其志乐也。若詹者，所谓以志养志者欤[20]！詹虽未得位，其名声流于人人，其德行信于朋友，虽詹与其父母，皆可无憾也。

詹之事业文章，李翱既为之传，故作哀辞以舒余哀，以传于后，以遗其父母而解其悲哀，以卒詹志云：

求仕与友兮，远违其乡，父母之命兮，子奉以行。友则既获兮，禄实不丰，以志为养兮，何有牛羊。事实既修兮，名誉又光，父母忻忻兮[21]，常若在旁。命虽云短兮，其存者长，终要必死兮，愿不永伤！友朋亲视兮，药物甚良，饮食孔时兮[22]，所欲无妨。寿命不齐兮，人道之常，在侧与远兮，非有不同。山川阻深兮，魂魄流行，祀祭则及兮，勿谓不通。哭泣无益兮，抑哀自强，推生知死兮，以慰孝诚。呜呼哀哉兮，是亦难忘！

【注释】

①欧阳生：名詹，字行周，泉州晋江（今福建晋江）人，著有《欧阳行周文集》。

②闽越：今福建地区。

③齿：同列，并列。

④今上：指唐德宗。

⑤临莅：指官员管辖和治理政事。

⑥宴飨：以酒食款待宾客。

⑦翕（xī）然：和顺的样子。

⑧建中、贞元：二者皆为唐德宗的年号。

⑨就食江南：指称韩愈居于宣州期间。

⑩未接人事：尚未懂得世故人情。

⑪闾巷：小的街道，泛指乡里民间。

⑫醇以方：秉性淳厚，处事公正。

⑬嶷嶷然：端庄聪慧的样子。

⑭燕私：休息的时候，泛指平日里。

⑮隆：尊崇，重视。

⑯徐州从事：张建封当时授予韩愈徐州节度推官一职。朝正：古时臣子在正月朝见天子，表示接受天子的政教。

⑰四门助教：官名。

⑱阙下：帝王的宫阙之下。

⑲会监有狱：恰逢国子监有诉讼事件。

⑳以志养志：以父母的志趣为志趣来奉养父母。语出《孟子·离娄上》："若曾子，则可谓养志也。"

㉑忻忻：高兴的样子。

㉒孔时：很新鲜。孔，很，甚。

【译文】

欧阳詹的家族世代居住在闽越地区，从他往上的先祖，都是闽越的地方官吏，做到州佐、县令一类官职的人，比比皆是。闽越土地肥沃，有青山绿水、奇禽异鱼可供游赏玩乐，即使有才能出众、德行优异，能通晓公文、政事，可以和京师之地的人才等列的人，也没有愿意出去做官的。当今皇上刚即位时，原来的宰相常衮担任福建各州的观察使，治理那个地方。常衮靠文章写得好出仕，在当时很有名气，后来又做了高官，管辖当地人民。见到乡县里的一般百姓有会读书写文章的，常衮都亲自行客礼接待他们，观赏游览、设宴飨客的场合，必定邀请并陪同他们一起。没过多久，当地民众都受到感化形成了安宁、和顺的风尚。欧阳詹当时特别超群出众，常衮对他更加敬重和爱护，众儒生也都推许佩服他。闽越的人参加进士科考，就是从欧阳詹开始的。

建中、贞元年间，我到江南去谋生活，还未懂得人情世故，经常在街头巷尾听说欧阳詹的名字，欧阳詹在江南闻名很久了。贞元三年(787)，我刚到京城参加进士考试，听闻欧阳詹名字的次数更多。贞元八年(792)的春天，我和欧阳詹一起科考，同榜中举，才开始互相认识。从这以后，欧阳詹回闽中，我有时在京城有时在别的地方，和他很久没见面，只有他回闽中时是这样。别的时候我和欧阳詹分开，通常没有超过一年，过一段时间就一定会相见，会合见面后两人就都不想再往别处去，过了很久才会分开离去，所以我和欧阳詹相互了解很深。

欧阳詹侍奉父母竭尽孝道，仁爱妻子儿女，对朋友讲义气有诚意。他秉性淳厚、处事方正，容貌端庄聪慧。他平日里常爱说笑话来调和气氛，写的文章深入透彻，喜欢反复论说，善于自我表达。读他的文章，就知道他对于慈孝最重视。贞元十五年(799)的冬天，我以徐州从事的身份到京城朝见天子，当时欧阳詹担任国子监四门助教，准备带领他的门生跪伏在宫门前，举荐我为博士，恰逢国子监有诉讼事件，上书没有成功。但可以看出他的心意，只要对我有好处的事，他就会忘掉自己官职卑微而去做。

唉，欧阳詹现在去世了！欧阳詹是闽越人，父母年事已高，他放弃在父母身边朝夕服侍的机会，来到京城，他心里是想在京城有所收获，回去可以为父母增添荣耀。即使他父母的心意也是这样：欧阳詹在身边，虽然没有分离的忧愁，他们心里却不快乐；欧阳詹在京城，即使有离别的忧思，他们心里也很高兴。像欧阳詹这样的人，就是所说的以父母的志趣为志趣来奉养父母的人吧。欧阳詹虽然没有取得高官厚禄，但他的名声在众人当中流传，他的道德品行也得信于朋友。即使是欧阳詹和他的父母，都可以没有遗憾了。

欧阳詹的事迹功业和文章，李翱已经为他作了传记，所以我写下这篇哀辞来抒发我的哀思，流传给后人，赠送他的父母以宽解他们的悲哀，完成欧阳詹的遗愿：

为了寻求官位和朋友，他远离家乡。父母的命令，儿子遵照并实行。朋友已经找到了，但俸禄的确不丰厚。奉养父母能顺从他们的意志，又何必要有牛羊供奉呢？已经做了实事，名声又好，父母很高兴，就像他经常在身边一样。寿命虽说短促，但留存下来的声名将会久长。人终归是一定要死的，希望不要一直悲伤。朋友亲人亲自探视，所用药物十分精良，吃的喝的都非常时鲜，得到想要的东西没什么阻碍。人的寿命长短不同，这是通常的规律。在身边和在远方，没有什么不同。山岳江河虽然形成了深深的阻隔，但魂魄可以相互交流通行，通过祭祀就可以传达到他身边，不要说行不通。哭泣没有用处，抑制住悲伤，自己坚强起来。从生推想到死的情况，来安慰欧阳詹的孝诚之心。唉，悲哀啊，难以忘怀！

【题解】

本文选自《昌黎先生集》卷二十二。本篇是韩愈于长安求仕不顺，东归过洛阳经田横墓时有感而著。文章叙述了秦末田横虽败亡，但因其“义高得士”得以名留千秋。韩愈以今溯古、以古及今，反映出当政者不能礼贤下士、知人善任的社会悲剧，宣泄了他郁闷失意的心情。

祭田横墓文[①]

【原文】

贞元十一年九月，愈如东京[②]，道出田横墓下[③]，感横义高能得士，因取酒以祭，为文而吊之。其辞曰：

事有旷百世而相感者，余不自知其何心。非今世之所稀，孰为使余歔欷而不可禁[④]！余既博观乎天下，曷有庶几乎夫子之所为？死者不复生，嗟余去此其从谁！当秦氏之败乱[⑤]，得一士而可王，何五百人之扰扰[⑥]，而不能脱夫子于剑铓？抑所宝之非贤，亦天命之有常？昔阙里之多士[⑦]，孔圣亦云其遑遑[⑧]。苟余行之不迷，虽颠沛其何伤！自古死者非一，夫子至今有耿光[⑨]。跽陈辞而荐酒[⑩]，魂仿佛而来享！

【注释】

①田横：原为齐国贵族，随兄长田儋、田荣先后反秦、反楚，后刘邦称帝，

他义不称臣，率部下五百余人逃往海岛。后刘邦派使者召其赴京，其于应召赴京途中自杀。

②东京：指洛阳。

③道：路经，路过。

④歔(xū)欷(xī)：悲泣抽噎的样子。

⑤秦氏：秦朝。

⑥扰扰：繁多的样子。

⑦阙里：孔子的故居，在今山东曲阜。这里代指孔子门下。

⑧孔圣亦云其遑遑：语出《孟子·滕文公下》："孔子三月无君，则皇皇如也。"遑遑，心神不定的样子。

⑨耿光：光明，光辉。

⑩跽(jì)：长跪，挺直上身，双膝着地。

【译文】

贞元十一年(795)九月，韩愈到东京洛阳去，路经田横的墓冢，感叹田横义气高迈，能获得贤士，于是拿酒来祭奠，写文章吊唁他。祭文说道：

有些事情相隔许久却依然让人产生感触，我不知道这是出于什么心情。若非当今世上不崇尚义高得士这种风气，谁会让我这样抽咽哭泣、悲痛不止呢？我已纵观天下人事，有谁能做得和田横差不多？死去的人不会复活，我感慨自己离开这里又去跟从谁呢？在秦王朝危亡混乱的时候，得到一个才士就可以称王，为什么田横拥有纷纷攘攘五百人，却不能使他逃脱刀剑的锋芒啊？还是他所珍视的并不是贤人，或是天命自有它的常规呢？当年孔门有很多贤士，但孔圣人还说他焦躁不安、心神不定。只要我的操守行事没有迷失正确方向，即使倾覆跌倒又有何妨？自古以来人总归要死，田横到现在仍然散发着光辉。我长跪着读诵祭文并献酒祭奠，田横的魂魄好像来享用它们了。

【题解】

本文选自《昌黎先生集》卷二十二。文章从韩愈与张署同贬荒蛮之地、同去郴州任职、京城相聚后分离十一年，直至死生相隔这三件事情上展开，重点铺叙了张署的皇皇政绩，抒发了作者对其遭遇的无限感慨。全文或写景或叙事，或详尽或简括，或奇伟或平易，情与事兼具。

祭河南张员外文[①]

【原文】

维年月日，彰义军行军司马守太子右庶子兼御史中丞韩愈[②]，谨遣某乙以庶羞清酌之奠[③]，祭于亡友故河南县令张十二员外之灵。

贞元十九，君为御史，余以无能，同诏并跱[④]。君德浑刚，标高揭己[⑤]，有不吾如，唾犹泥滓。余戆而狂[⑥]，年未三纪[⑦]，乘气加人，无挟自恃。彼婉娈者[⑧]，实惮吾曹[⑨]，侧肩帖耳，有舌如刀[⑩]。

我落阳山[⑪]，以尹鼯猱[⑫]，君飘临武[⑬]，山林之牢。岁弊寒凶，雪虐风饕[⑭]，颠于马下，我泗君咷[⑮]。夜息南山，同卧一席，守隶防夫，抵顶交跖[⑯]。洞庭漫汗[⑰]，粘天无壁，风涛相豗[⑱]，中作霹雳。追程盲进，帆船箭激[⑲]。南上湘水，屈氏所沈[⑳]，二妃行迷[㉑]，泪踪染林，山哀浦思，鸟兽叫音。余唱君和，百篇在吟。君止于县，我又南逾，把盏

相饮，后期有无。期宿界上[22]，一夕相语。

自别几时，遽变寒暑[23]，枕臂欹眠[24]，加余以股。仆来告言，虎入厩处，无敢惊逐，以我骤去[25]。君云是物，不骏于乘，虎取而往，来寅其征[26]，我预在此，与君俱膺[27]。猛兽果信，恶祷而凭[28]。

余出岭中，君俟州下，偕掾江陵[29]，非余望者。郴山奇变，其水清写[30]，泊砂倚石，有遌无舍[31]。衡阳放酒，熊咆虎嗥，不存令章，罚筹猬毛。委舟湘流，往观南岳，云壁潭潭[32]，穹林攸擢[33]。避风太湖[34]，七日鹿角[35]，钩登大鲇[36]，怒頫豕豞[37]，脔盘炙酒[38]，群奴余啄。走官阶下，首下尻高[39]，下马伏涂[40]，从事是遭。

予征博士[41]，君以使已，相见京师，过愿之始。分教东生，君掾雍首[42]，两都相望[43]，于别何有。解手背面[44]，遂十一年，君出我入，如相避然，生阔死休，吞不复宣！

刑官属郎，引章讦夺[45]，权臣不爱，南昌是斡[46]。明条谨狱，氓獠户歌[47]。用迁澧浦[48]，为人受瘥[49]。还家陈都，起令河南，屈拜后生，愤所不堪。屡以正免，身伸事蹇[50]，竟死不升，孰劝为善！

丞相南讨[51]，余辱司马[52]，议兵大梁[53]，走出洛下。哭不凭棺，奠不亲斝[54]，不抚其子，葬不送野，望君伤怀，有陨如泻！铭君之绩，纳石壤中，爰及祖考[55]，纪德事功，外著后世，鬼神与通。君其奚憾，不余鉴衷！呜呼哀哉，尚飨[56]！

【注释】

①张员外:名署,河间(今属河北)人,时为河南县令。

②彰义军:唐置淮宁军节度,后改号彰义军。

③某乙:某人。庶羞清酌:多种美味和清酒。

④跱(zhì):立。

⑤标高揭己:指高标准要求自己。

⑥戆(zhuàng):愚笨刚直。

⑦三纪:三十六岁。十二年为一纪。

⑧婉娈:姿态柔媚的样子。

⑨吾曹:我们这些人。

⑩有舌如刀:舌头像刀子一样锋利。

⑪阳山:县名,在今广东清远。贞元十九年,韩愈被贬为连州阳山令。

⑫鼯(wú)猱(náo):古时中原地区对南方少数民族的蔑称。

⑬临武:县名,在今湖南最南部,与广东连州接壤。

⑭饕(tāo):贪残。这里形容大风肆虐,天气非常寒冷。

⑮咷(táo):放声大哭。

⑯抵顶交跖(zhí):头挨着头,脚挨着脚。

⑰漫汗:浩瀚无际的样子。

⑱豗(huī):撞击。

⑲帆船箭激:帆船像离弦的箭一样飞驰着。

⑳屈氏所沈:屈原投水自沉。

㉑二妃:指舜帝的妃子娥皇和女英。

㉒期:约定。

㉓遽:快,迅速。

㉔攲(qī):倾斜。

㉕騡:小毛驴。

㉖来寅:来年正月。

㉗膺:承担。

㉘恶:哪里,怎么。

㉙掾(yuàn):古时副官或官署属员的通称。

㉚清写:清流奔泻而下。

㉛逻:遇见。

㉜云壁潭潭:绝壁高耸入云,十分深广的样子。

㉝攸擢:挺拔高俊的样子。

㉞太湖:指洞庭湖。

㉟鹿角:古地名,在今湖南岳阳。

㊱鲇:鱼的一种。头大嘴宽,尾圆而短,皮有黏质,无鳞。

㊲豕狗(hòu):猪叫声。

㊳脔(luán):切成小块的肉。

㊴首下尻(kāo)高:形容磕头跪拜的样子。尻,屁股。

㊵涂:通“途”,道路。

㊶博士:元和元年,韩愈出任国子博士。

㊷雍:指雍州。

㊸两都:指西京长安和东京洛阳。

㊹解手背面:分手离别。

㊺讦:攻讦。

㊻南昌是斡:指张署出任虔州刺史。

㊼氓獠:古时称我国南方少数民族人。

㊽澧(lǐ)浦:澧水之滨。这里指张署自虔州改澧州刺史。

㊾瘥(cuó):病,这里喻指缺点、罪责。

㊿蹇：艰阻，不顺利。
○51丞相南讨：元和十二年，丞相裴度出兵讨伐吴元济。
○52司马：指韩愈随裴度出征，任行军司马。
○53大梁：今河南开封。
○54斝（jiǎ）：一种酒器。
○55祖考：祖父和父亲。
○56尚飨：旧时用作祭文的结语，表示希望死者来享用祭品的意思。

【译文】

某年某月某日，彰义军行军司马、守太子右庶子兼御史中丞韩愈怀着恭谨的心情委派某人，用多种美味佳肴、清洌的美酒作为祭品，来祭奠我死去的好友，已故河南县令张十二员外的英灵。

贞元十九年（803），你正做御史，我本没什么才能，和你的名字一同列于同一道任命诏书中。你的德行浑厚刚直，把自己的品格标准定得很高。如果遇到不合意的人，就唾弃他如同对待烂泥一样。我愚笨刚直而又狂妄，年龄还不到三十六岁，爱逞一时的气性压倒别人，无所依恃却很自负。那些仪态柔媚的小人，实际上非常忌惮我们。他们斜侧着肩膀、贴着耳朵，舌头像刀子一样锋利。

我被流放到阳山县，去治理荒僻之地的南方少数民族。你飘落到临武县，困守在荒山野林之中。那年年底，天气极其寒冷，大雪肆虐，狂风怒号，我们从马上跌落下来，都哭得涕泗交流。夜里在南山歇息，两个人躺在一张席子上。防守的差役和我们头挨着头、脚挨着脚，挤在一起。洞庭湖水面辽阔、浩瀚无际，湖水和天相接，不见界限。狂风和波涛相互撞击，水面发出霹雳般的响声。为了追赶行程，我们盲目地前行，帆船像射出的箭一样飞驰着。往南溯湘江水而上，那是屈原投水自沉的地方。舜的两个妃子在那里迷路过，她们的泪痕染遍了竹林。山水都为她们难过忧虑，连鸟兽都为此凄厉地鸣叫。在那里你唱我和，写下了上百篇诗歌。你到临武县就止步了，我还要继续往南赶路。两人相互举杯敬酒，谁知道有没有相会的日期呢？我们相约在两州交界地同住一宿，两人再好好聊一聊。

自从那次分别后又过了多少日子，冬天很快变成了夏天。我们枕着胳膊侧卧而眠，你把大腿压在我的身上。仆人来报信说，有老虎闯到了马棚里，因为不敢惊动、驱赶它，老虎叼走了我的一头小毛驴。你说驴这个东西骑乘起来也不快，老虎把它拖走倒是个好的兆头，来年正月就会应验。你还说你也参与其中，到时要和我一同承受福兆。野兽预示的征兆确实灵验，哪里用得着向神祷告后才获得凭据呢？

我从岭中过来，你在郴州城里等着我，两人结伴，同去江陵府担任佐助官吏，这是我没有想到的。郴山景色奇特，富于变化，山中流水清冽，奔泻流下。我们把船停在沙滩靠在石头上，凡是遇到好的景致，无不停下欣赏。我们在衡阳开怀痛饮，酒醉喧哗就像熊哮虎吼。我们喝酒不拘泥什么酒令，记罚酒次数的筹码多如刺猬毛。我们顺着湘江行船，去游览南岳衡山。高高入云的绝壁十分深邃，幽深的树林耸立着。我们在洞庭湖中躲避大风，在鹿角山下呆了七天。我钓到了一条大鲇鱼，它鼓着两颊发出猪一样的叫声。我们吃盘中切成块的鱼肉，喝壶里温好的美酒，仆役们吃剩余的东西。我们去江陵府上任，一到公堂下，就卑身下气把头埋得很低，屁股撅得很高。在路上遇到江陵府的从事官，就要跳下马来，趴在路上行礼。

我被征召为博士，你已有了殿中侍御史的任命。我们能在京城相见，这大大超出了最初的愿望。不久，我被分到东都洛阳去教授太学生，你在京兆府担任司录，我们在两都间遥遥相望，和分别有什么不同？自那次分手离别后，竟过了十一年，你离开京城、我回到京城，就像要故意避开一样。我们生前分离，死后永无见期，彼此想说的话只能咽到肚子里再没有机会倾诉了。

你担任刑部员外郎时，喜欢引用法律条文来揭发、指斥别人的过失，掌权的大臣不喜欢你的刚直，于是转调你去虔州当刺史。在那里，你宣明政令条例，谨慎地审判案子，当地百姓家家户户都欢欣地歌颂。因故又改迁你去澧水之滨做刺史，你为百姓奔波谋利而替他们承担罪责。免职回到东都家中后，又起用你做河南县令。这需要你委屈自己去拜见后辈，你为这些难以忍受的屈辱感到愤怒。你一生中多次因为太正直而被免官，虽然一身正气得以伸展，可仕途却不顺利，到死也没能升迁，还能勉励谁去做好事呢？

丞相率军到南方讨伐淮西，我很惭愧地担任了行军司马的职务，由于要去大梁商议军务，就离开了洛阳。因此，我痛哭时没能靠着你的棺椁，祭奠时没能亲自为你斟酒，不能抚慰你的子女，也未能亲自到郊野为你送葬。遥望你的去世使我心中伤痛，眼泪像流水一样涌泻。我把你的功绩写进了墓志铭，墓碑已埋进了地下。碑文上提到你的祖父和父亲，记下了他们的德行和功勋。你的精神足以外显于后世，与鬼神也能相通，你还有什么遗憾呢？只是不能体察我的心意啊。唉，真叫人悲伤啊！请你享用这些祭品吧！

【题解】

本文选自《昌黎先生集》卷二十三，韩愈为了悼念柳宗元，曾先后写下了《祭柳子厚文》《柳子厚墓志铭》《柳州罗池庙碑》，被赞“无一语雷同”。该篇祭文以情为主，采用韵散结合的形式，极力赞扬了柳宗元文辞之美，慨叹人生如梦，表达了对好友早逝的沉重哀悼，反映了韩柳之间的深厚情谊。

祭柳子厚文[①]

【原文】

维年月日，韩愈谨以清酌庶羞之奠，祭于亡友柳子厚之灵。

嗟嗟子厚，而至然邪[②]？自古莫不然，我又何嗟！人之生世，如梦一觉，其间利害，竟亦何校[③]？当其梦时，有乐有悲，及其既觉，岂足追惟[④]！

凡物之生，不愿为材，牺尊青黄[⑤]，乃木之灾。子之中弃，天脱馽羁[⑥]。玉佩琼琚[⑦]，大放厥辞[⑧]。富贵无能，磨灭谁纪？子之自著，表表愈伟[⑨]。不善为斫[⑩]，血指汗颜[⑪]。巧匠旁观，缩手袖闲。子之文章，而不用世。乃令吾徒，掌帝之制。子之视人，自以无前。一斥不复[⑫]，群飞刺天[⑬]。

嗟嗟子厚，今也则亡，临绝之音[⑭]，一何琅琅[⑮]！遍告诸友，以寄厥子[⑯]。不鄙谓余，亦托以死[⑰]。凡今之交，观

势厚薄，余岂可保，能承子托？非我知子，子实命我，犹有鬼神，宁敢遗堕[18]！念子永归，无复来期，设祭棺前，矢心以辞[19]。

呜呼哀哉，尚飨！

【注释】

①柳子厚：名宗元，河东人，世称“柳河东”。唐朝著名的文学家，唐宋八大家之一，与韩愈并称“韩柳”。累官至监察御史，卒于柳州刺史任上。

②至然：到这样，这里指死亡。

③校：计较。

④追惟：追思。

⑤牺尊：古代酒器。《庄子·马蹄》：“故纯朴不残，孰为牺尊！”青黄：涂在酒器上的色彩。《庄子·天地》：“百年之木，破为牺尊，青黄而文之，其断在沟中。比牺尊于沟中之断，则美恶有间矣，其于失性一也。”

⑥𫜩(zhí)羁：羁绊，束缚。𫜩，古同“絷”，绊索。羁，马络头。

⑦玉佩琼琚：喻指诗文文辞优美。

⑧大放厥词：铺张辞藻，畅所欲言。

⑨表表：卓异突出的样子。

⑩斫：用刀、斧等砍削。

⑪血指汗颜：手指流血，汗流满面。指无法应对。

⑫复：重新起用。

⑬群飞刺天：指小人飞黄腾达、官居高位。

⑭临绝之音：指柳宗元临终前给儿子留的一封信。

⑮琅琅：拟声词，形容清朗响亮的声音。
⑯厥：他的。
⑰托以死：柳宗元临终时在信中请托韩愈为他写墓志铭。
⑱遗堕：推诿，怠惰。
⑲矢心：衷心，诚意。

【译文】

某年某月某日，韩愈恭谨地拿着清酒和各种美味，来祭奠我死去的友人柳子厚的在天之灵。

唉，子厚啊，你竟然这样离去了！自古以来没有哪个人不是如此，我又感叹什么呢？人生在世，就像一场梦，这中间的好处和坏处，到头来又计较什么呢？当人做梦时，有快乐也有悲伤，等到梦醒之后，哪里还值得回想呢？

凡是世间生物，都不愿长大成材，譬如那些绘有各种色彩的酒器，就是木材的灾难。你中年离开人世，是上天让你摆脱羁绊。你的文章像美玉制的佩饰一样华美，言辞大放光彩。那些有钱有势的人没什么才能，他们的事迹早已湮灭，又有谁被记载下来呢？而你自己使自己声名昭著，卓异突出而愈发雄伟。不善于用刀斧砍削的人，伤了手指流了血弄得汗流满面。能工巧匠却只能把手缩在袖子里，站在一旁观看。您的文章不为世人所用，反倒让我们这些人掌管着朝廷的制令。您平时待人，自认为前所未有。但一遭贬斥就不再被起用，那些小人们却名位遽升、飞黄腾达。

唉，子厚啊！你如今去世了。你临近诀别的声音，是多么清朗响亮！你四处告诉好友，来托付你的儿子。你不轻视我，曾以死相托。现在的人交朋友，都要看对方势力的大小，我哪能担保，能承担起你的重托呢？不是我了解你，是你真心实意托付我。上有鬼神监督，我怎敢推诿不管这事呢？想到你永远地离去，再没有回来的时间，就在你的棺木前摆下祭品，用这篇祭文来表达我的衷心诚意。

唉，真伤心啊！请享用这些祭品吧！

【题解】

本文选自《昌黎先生集》卷二十三。韩愈将绵远深重的哀恸之情，投射在家常琐事及同甘共苦、相依为命的生活经历中，寄情于事，娓娓道来，仿佛与十二郎面谈倾诉。这种不拘常格的变体祭文，看似平平淡淡、不显声色，实则字字真切、句句动人，不愧为“祭文中千年绝调”。

祭十二郎文[①]

【原文】

年月日[②]，季父愈闻汝丧之七日[③]，乃能衔哀致诚[④]，使建中远具时羞之奠[⑤]，告汝十二郎之灵：

呜呼！吾少孤[⑥]，及长，不省所怙[⑦]，惟兄嫂是依。中年，兄殁南方[⑧]，吾与汝俱幼，从嫂归葬河阳[⑨]。既又与汝就食江南[⑩]，零丁孤苦，未尝一日相离也。吾上有三兄，皆不幸早世。承先人后者，在孙惟汝，在子惟吾，两世一身，形单影只。嫂常抚汝指吾而言曰：“韩氏两世，惟此而已！”汝时尤小，当不复记忆，吾时虽能记忆，亦未知其言之悲也。

吾年十九，始来京城。其后四年而归视汝[⑪]。又四年，吾往河阳省坟墓[⑫]，遇汝从嫂丧来葬。又二年，吾佐董丞相于汴州[⑬]，汝来省吾；止一岁，请归取其孥[⑭]。明年，丞相薨[⑮]，吾去汴州[⑯]，汝不果来[⑰]。是年，吾佐戎徐

州[18]，使取汝者始行，吾又罢去，汝又不果来。吾念汝从于东[19]，东亦客也，不可以久，图久远者，莫如西归[20]，将成家而致汝[21]。呜呼！孰谓汝遽去吾而殁乎[22]！吾与汝俱少年，以为虽暂相别，终当久相与处。故舍汝而旅食京师[23]，以求斗斛之禄[24]。诚知其如此，虽万乘之公相[25]，吾不以一日辍汝而就也[26]。

去年，孟东野往[27]，吾书与汝曰："吾年未四十，而视茫茫，而发苍苍，而齿牙动摇。念诸父与诸兄，皆康强而早世，如吾之衰者，其能久存乎？吾不可去，汝不肯来，恐旦暮死而汝抱无涯之戚也[28]。"孰谓少者殁而长者存，强者夭而病者全乎！呜呼！其信然邪[29]？其梦邪？其传之非其真邪？信也，吾兄之盛德而夭其嗣乎？汝之纯明而不克蒙其泽乎[30]？少者强者而夭殁，长者衰者而存全乎？未可以为信也。梦也，传之非其真也，东野之书，耿兰之报[31]，何为而在吾侧也？呜呼！其信然矣！吾兄之盛德而夭其嗣矣！汝之纯明宜业其家者[32]，不克蒙其泽矣！所谓天者诚难测，而神者诚难明矣！所谓理者不可推，而寿者不可知矣！

虽然，吾自今年来，苍苍者或化而为白矣，动摇者或脱而落矣，毛血日益衰，志气日益微，几何不从汝而死也[33]。死而有知，其几何离；其无知，悲不几时！而不悲者无穷期矣！汝之子始十岁[34]，吾之子始五岁[35]，少而强者不可保，如此孩提者[36]，又可冀其成立邪？呜呼哀哉！呜呼哀哉！

汝去年书云："比得软脚病[37]，往往而剧。"吾曰："是疾也，江南之人，常常有之。”未始以为忧也。呜呼！其竟以此而殒其生乎？抑别有疾而至斯乎？汝之书，六月十七日也。东野云：“汝殁以六月二日。”耿兰之报无月日。盖东野之使者，不知问家人以月日，如耿兰之报，不知当言月日，东野与吾书，乃问使者，使者妄称以应之耳，其然乎？其不然乎？

今吾使建中祭汝，吊汝之孤，与汝之乳母。彼有食可守以待终丧[38]，则待终丧而取以来；如不能守以终丧，则遂取以来；其余奴婢，并令守汝丧。吾力能改葬，终葬汝于先人之兆[39]，然后惟其所愿。

呜呼！汝病吾不知时，汝殁吾不知日，生不能相养以共居，殁不得抚汝以尽哀，敛不凭其棺[40]，窆不临其穴[41]。吾行负神明而使汝夭，不孝不慈，而不得与汝相养以生，相守以死，一在天之涯，一在地之角。生而影不与吾形相依，死而魂不与吾梦相接，吾实为之，其又何尤[42]！彼苍者天，曷其有极[43]！

自今已往，吾其无意于人世矣，当求数顷之田于伊颍之上[44]，以待余年，教吾子与汝子，幸其成，长吾女与汝女，待其嫁，如此而已！

呜呼！言有穷而情不可终，汝其知也邪？其不知也邪？呜呼哀哉，尚飨！

【注释】

①十二郎：名老成，韩愈的侄子。其生父是韩介（韩愈的二兄），后被过继给韩会（韩愈的长兄）。因在家族同辈中排行第十二，故称十

二郎。

②年月日：某年某月某日。

③季父：父辈中排行最小的叔父。

④衔哀致诚：怀着哀痛表达诚挚的情意。

⑤时羞：应时的鲜美佳肴。

⑥孤：幼年丧父。

⑦所怙：这里代指父亲。怙，本义依赖，依靠。《诗经·小雅·蓼莪》："无父何怙？无母何恃？"

⑧殁：死。

⑨河阳：县名，在今河南孟州。

⑩江南：这里指宣州(今安徽宣城)，韩愈幼时曾居于此。

⑪视：长辈对晚辈的看望。

⑫省：晚辈探望长辈，这里引申为祭扫。

⑬董丞相：指董晋。时韩愈在董晋幕府中任节度推官。

⑭孥(nú)：妻子和儿女的统称。

⑮薨(hōng)：古时诸侯或有爵位的大官死去。

⑯吾去汴州：贞元十五年(799)二月，驻扎在汴州的宣武军节度使董晋卒，此时韩愈在董晋幕府任节度推官，随董晋的灵柩离开汴州。他们离开后四天，汴州发生了叛乱。

⑰不果来：没有来成。

⑱佐戎徐州：贞元十五年秋，韩愈入徐、泗、濠节度使张建封幕府任节度推官。节度使府在徐州。佐戎，协理军务。

⑲东：指故乡河阳之东的汴州和徐州。

⑳西：指河阳。

㉑致：接。

㉒孰谓：谁料想。遽：骤然。

㉓旅食京师：指在京城求官谋生。

㉔斗斛之禄：指微薄的俸禄。斛，古时十斗为一斛。

㉕万乘：古代称四马一车为一乘，“万乘”喻指高官厚禄。

㉖辍：舍弃，离开。就：就职。

㉗孟东野：孟郊。

㉘无涯之戚：无尽的悲伤。戚，忧愁，悲哀。

㉙其：表选择，是……还是。

㉚克：能够。

㉛耿兰：生平不详，应当是韩氏在宣州别业的家人。十二郎死后，耿兰有向韩愈报丧。

㉜业：继承。

㉝几何：过不了多久。

㉞汝之子：指十二郎的长子韩湘。

㉟吾之子：指韩愈的长子韩昶。

㊱孩提：指年纪尚小。

㊲比：近来。

㊳终丧：指守满三年丧期。

㊴兆：墓地。

㊵敛：入殓。

㊶窆：下葬。

㊷尤：怨恨，归咎。

㊸彼苍者天，曷其有极：苍天啊，我的悲痛何时才是尽头！语出《诗经·唐风·鸨羽》：“悠悠苍天，曷其有极？”

㊹伊颍：伊水和颍水。

【译文】

某年某月某日,叔父韩愈在听到你去世消息后的第七天,才能怀着哀痛向你表达诚挚的情意,我派建中从远道送去备办的应时美味作为祭品,祭告你十二郎的在天之灵:

唉!我从小失去父亲,等到长大,早已不记得父亲的样子,只能依靠哥哥和嫂嫂生活。哥哥中年时便死在南方,那时我和你都还很小,跟着嫂嫂把哥哥的灵柩运回河阳安葬。不久后又和你到江南谋生,虽然我们孤苦伶仃,却不曾有一天分开过。我上面有三个哥哥,都不幸很早就去世了。继承先人的后嗣,孙子一辈中只剩下你,儿子一辈中只剩下我,两代单传,真是孤单凄凉。嫂嫂曾经一边抚摸着你一边指着我说:"韩家两代,只剩下你们这两个人了!"你那时还小,可能记不得了,我当时虽然能记事,却并不懂得她话中所含的悲痛啊!

我十九岁时,来到京城。此后四年,才回去看你。又过了四年,我到河阳去祭扫坟墓,遇到你护送嫂嫂的灵柩来安葬。又过了两年,我在汴州辅佐董丞相,你来探望我,住了一年,要求回去接你的家眷。第二年,董丞相去世,我离开汴州,最终你没有来成。这一年,我在徐州协理军务,派去接你的人刚出发,我又离职,结果你又没来成。我想假如你跟我到东边的徐州,仍算是客居他乡,不可能长久居住,如果做长远打算,不如向西回到河阳去,等我先安好家然后来接你。唉!谁想到你会骤然地离我而去呢?当时,我和你都还年轻,以为虽然暂时分别,终究会长久住在一起。所以我才离开你到京城谋生,以求得微薄的俸禄。如果真知道事情会是这样,即使让我得到拥有万辆兵车的公卿高位,也不愿意离开你一天而去就职!

去年,孟东野到你那里去,我托他捎信给你说:"我还不满四十岁,可是两眼昏花,头发斑白,牙齿也松动了。想起伯父、叔父和几位兄长，都是在身体强健的中年就早早去世了，像我这样衰弱的人，怎么能活得长呢？我不能离开任职地，你又不肯来，只怕我早晚死去，你就要空抱着无尽的悲哀了。”谁料到年轻的人先死，年长的人反而活着；身体强壮的人夭折，病弱的人却保全下来了呢？唉！这是真的吗？还是做梦呢？还是传来的消息不真实呢？如果是真的话，我哥哥那么高尚的德行却使他的儿子夭亡吗？你如此淳朴贤明却不能承受他的德泽吗？年轻、强壮的早死，年长、衰弱的却存留吗？真不能相信这是真的。是做梦吧，也许是传来的消息不可信吧，但东野的信和耿兰报丧的消息为什么在我身边呢？唉！恐怕是真的了！我哥哥有高尚的德行，他的儿子却早早夭亡！你有忠厚贤明的品质适于继承家业，却不能承受他的德泽！这就是人们说的天命实在难测，神意实在难明啊！所说的事理难以推究，寿命不能预知啊！

虽说如此，但我从今年以来，灰白的头发有的变成全白了，松动的牙齿有的已经脱落了，体质日益衰弱，精神一天天减退，没多久就会随你而去了！如果死后有知觉，那我们分离就没有多久了；如果没有知觉，那我也不会悲痛多久了，而死后不悲痛的时间却是无穷无尽啊！你的儿子刚十岁，我的儿子才五岁，年轻而强壮的人都不能保全，像这样的小孩子，还能指望他们长大成人吗？唉，真伤心啊！唉，真伤心啊！

你去年来信说：“近来得了软脚病，常常疼得很厉害。”我说：“这种病江南人常得。”不曾为此忧虑。唉！你难道竟是因为这病而丢掉了性命吗？还是有别的疾病才弄成这样呢？你的信，是六月十七日写的。东野说你是六月二日去世的，耿兰的报丧信中没有讲明日期。大概是东野派去的使者不懂得向家人打听日期，就像耿兰报丧的信不知道说明日期一样，东野给我写信时询问使者，使者就随口编了个日期来应付罢了。是这样呢？抑或不是这样呢？

如今我派建中来祭奠你，并慰问你的孩子和你的奶妈。如果他们有粮食能维持到丧期结束，就等丧期结束后接他们来；假如不能维持到丧期结束，就马上接他们来。其余的奴仆，都让他们为你守丧。我若有能力替你迁葬，最终会把你葬在祖先的墓地上，这样才算了却我的心愿。

唉！你生病我不知道时间，你去世我不晓得日期，生前不能住在一起互相照顾，死时不能抚摸着你的遗体尽情表达我的哀痛，入殓时不能靠在你的棺旁，安葬时不能亲临你的墓穴。我的所作所为对不起神灵，才使你短命早亡，我不孝顺不慈爱，不能和你互相照顾着生活、互相守护到死，一个在天涯，一个在地角。你活着的时候不能和我形影相依，死后魂灵又不能在我的梦中相逢，是我自己造成这种情况的，还能埋怨谁呢？苍天啊，我的悲痛何时才是尽头！

从今以后，我对人世没有什么留恋的。我应当在伊水、颍水旁边买几亩地，来度过我剩下的岁月。教育我的儿子和你的儿子，希望他们能健康成长；抚育我的女儿和你的女儿，直到她们出嫁。我所能做的不过这样罢了。

唉！话有说完的时候，而哀痛的心情却不能终止。这些你是知道，还是不知道呢？唉！真伤心啊！请享用这些祭品吧！

碑志

【题解】

本文选自《昌黎先生集》卷三十一。该碑文是韩愈为柳宗元所写三篇追忆文中的最后一篇。文章用简洁的笔墨叙述了柳宗元治理柳州所采取的惠民措施，并借浪漫主义的想象表现了他死后成神的离奇传说，最后在迎享送神的楚风祭歌中，集中反映了百姓对柳宗元的爱戴和敬仰之情。

柳州罗池庙碑[①]

【原文】

罗池庙者，故刺史柳侯庙也[②]。柳侯为州，不鄙夷其民，动以礼法。三年，民各自矜奋："兹土虽远京师，吾等亦天氓[③]，今天幸惠仁侯，若不化服，我则非人。"于是老少相教语，莫违侯令。凡有所为于其乡闾及于其家，皆曰："吾侯闻之，得无不可于意否？"莫不忖度而后从事。凡令之期，民劝趋之，无有后先，必以其时。于是民业有经，公无负租，流逋四归[④]，乐生兴事，宅有新屋，步有新船，池园洁修，猪牛鸭鸡，肥大蕃息[⑤]，子严父诏，妇顺夫指，嫁娶葬送，各有条法，出相弟长[⑥]，入相慈孝。先时民贫，以男女相质，久不得赎，尽没为隶，我侯之至，按国之故，以佣除本，悉夺归之。大修孔子庙，城郭巷道，皆治使端正，树以名木，柳民既皆悦喜。

尝与其部将魏忠、谢宁、欧阳翼饮酒驿亭[⑦]，谓曰：

"吾弃于时而寄于此,与若等好也。明年吾将死,死而为神,后三年,为庙祀我!"及期而死[8]。

三年[9],孟秋辛卯[10],侯降于州之后堂,欧阳翼等见而拜之。其夕,梦翼而告曰:"馆我于罗池!"其月景辰[11],庙成,大祭。过客李仪醉酒,慢侮堂上,得疾,扶出庙门即死。明年春,魏忠、欧阳翼使谢宁来京师,请书其事于石。余谓柳侯生能泽其民,死能惊动福祸之,以食其土,可谓灵也已。作迎享送神诗遗柳民,俾歌以祀焉[12],而并刻之。

柳侯,河东人,讳宗元,字子厚,贤而有文章,尝位于朝,光显矣,已而摈不用。其辞曰:

荔子丹兮蕉黄,杂肴蔬兮进侯堂。侯之船兮两旗,度中流兮风泊之,待侯不来兮,不知我悲?侯乘驹兮入庙,慰我民兮不嚬以笑[13]。鹅之山兮柳之水[14],桂树团团兮白石齿齿[15]。侯朝出游兮暮来归,春与猿吟兮秋鹤与飞。北方之人兮为侯是非,千秋万岁兮侯无我违!福我兮寿我,驱厉鬼兮山之左,下无苦湿兮高无干,粳稌充羡兮蛇蛟结蟠[16]。我民报事兮,无怠其始,自今兮钦于世世[17]。

【注释】

①柳州:唐州名,今广西柳州。罗池庙:在今广西柳州,为祭祀刺史柳宗元而建。

②柳侯:柳宗元。

③氓:古时称百姓。

④流逋(bū):指流亡在外的老百姓。

⑤蕃息：繁盛生长。

⑥弟长：友爱同辈，尊敬长辈。弟，通“悌”。

⑦部将：这里指刺史的下属。

⑧及：等到。

⑨三年：指柳宗元死后的第三年。

⑩孟秋：初秋。

⑪景辰：丙辰，这里是避唐世祖李昞的名讳。

⑫俾：使得。歌以祀：唱着诗去祭奠。

⑬嚬(pín)：同“颦”，皱眉。

⑭鹅之山：鹅山，一作峨山。柳之水：柳江。

⑮团团：茂密的样子。齿齿：排列整齐的样子。

⑯粳稌充羡：稻谷丰盛有余。粳稌，粳稻与糯稻。结蟠：蛰伏。

⑰钦：钦佩，敬重。

【译文】

罗池庙，是祭祀已故刺史柳侯的庙。柳侯治理柳州时，不轻视当地的百姓，运用礼法办事。三年之后，百姓们都很振奋自勉，他们说：“这地方虽然远离京城，但我们也是天朝的百姓，现在有幸得到老天赐给我们仁爱的柳侯，如果不被感化顺服，那我们就不算是人了。”于是老老少少相互告诫提醒，不要违背了柳侯的政令。凡是在乡里或家中做什么事，人们都说：“我们的柳侯知道后，是否会不同意呢?”没有人不思量一番再去做事的。凡是柳侯政令规定的限期，人们总是相互勉励去执行，不分先后，必定都按时完成。因此，百姓的事务都有了常规，公家没有收不回的租税，流亡的人纷纷从四方归来，人民生活安乐、兴办事业，院落中增建了许多新屋，埠头停靠了许多新船，池塘园林整洁漂亮，猪牛鸡鸭又肥又大、繁殖兴旺；孩子尊重父亲的教导，妻子顺从丈夫的意见，婚丧嫁娶分别有条约法规；在外友爱同辈，尊敬长辈；在家慈爱儿女，孝顺父母。以前老百姓很贫困，拿子女作为借贷的抵押，过了很久也不能把人赎回来，人质最后全被没收沦为奴隶。柳侯来后，依照国家旧制，采用从佣金中扣除借贷本金的办法，全部将人质赎回并让他们回了家。他还大修孔子的祠庙，内城、外城、小路、大道，都修理整治得十分齐整，还栽上名贵的树木，柳州的百姓全都很高兴。

柳侯曾经和他的部将魏忠、谢宁、欧阳翼在驿站的亭子里喝酒，说道："我被当世遗弃，而今寄居在这里，和你们几个交好。明年我将要死了，死后会变成神仙，死后三年，要建个庙祭祀我。"等到了他说的那个时候，他真的就去世了。

他死后第三年七月初三这天，柳侯的神灵降临到州府后堂，欧阳翼等人看到后都跪拜他。那天晚上，柳侯托梦给欧阳翼并告诉他说："就让我住在罗池旁吧。"当月的二十八日，庙宇建成了，还举行了大规模的祭祀。一个过往的旅客李仪喝醉了酒，在庙堂上轻慢无礼，当时便得了病，扶出庙门后就死了。第二年春天，魏忠、欧阳翼派谢宁来到京城，请我把柳侯的事迹书写在石碑上。我认为柳侯生前能给百姓带来恩泽，死后能惊动百姓并降福降祸，享用当地人民的供养，可以说得上灵验了。于是我写了首《迎享送神诗》送给柳州人民，让他们唱着诗去祭奠柳侯，并将诗刻在墓碑上。

柳侯是河东人，名叫宗元，字子厚。他非常贤能，善于写文章，曾经在朝廷上任职，荣耀显赫，后来受到排斥不被重用。诗是这样写的：

荔枝红啊香蕉黄，夹杂着佳肴蔬菜送进柳侯的祠堂。柳侯的船啊插着两面旗,船行水中央,风吹旗扬。等待柳侯您却不来,难道不知我们的伤悲?柳侯乘着马驹进入庙堂,慰抚百姓,眉头不皱面带微笑。鹅山啊柳江,桂树茂密围绕,白石排列整齐。柳侯早晨出游傍晚回来,春天和猿猴一起吟唱,秋天与仙鹤一起飞翔。北方的人啊,还在讲你的是是非非,千年万年啊,柳侯也不离开我们。赐给我们福祉啊,降给我们长寿,驱逐恶鬼到山的东边,让低处不受涝啊,让高处不干旱,让稻米充足有剩余,让蛟龙蛰伏不为害百姓。我们老百姓报答您,一开始就不懈怠,从今以后啊,我们要世世代代敬重您。

【题解】

本文选自《昌黎先生集》卷二十八。该墓志从侧面展现了墓主王适不媚流俗、孤傲却不狂悖、愤世嫉俗而能坚守节操的性格特征,反映了王适、侯处士诸类知识分子仕途困顿的现实。作者采用传奇小说的笔法,为碑文增添了情趣和声色。

试大理评事王君墓志铭[①]

【原文】

君讳适,姓王氏,好读书,怀奇负气,不肯随人后举选。见功业有道路可指取,有名节可以戾契致[②],困于无资地,不能自出,乃以干诸公贵人[③],借助声势。诸公贵人既志得,皆乐熟软媚耳目者,不喜闻生语,一见辄戒门以绝。上初即位[④],以四科募天下士[⑤],君笑曰:"此非吾时邪?"即提所作书,缘道歌吟,趋直言试[⑥]。既至,对语惊人。不中第,益困。

久之,闻金吾李将军年少喜士[⑦],可撼,乃蹐门告曰[⑧]:"天下奇男子王适,愿见将军白事!"一见语合意,往来门下。卢从史既节度昭义军,张甚,奴视法度士,欲闻无顾忌大语,有以君生平告者,即遣客钩致,君曰:"狂子不足以共事!"立谢客。李将军由是待益厚,奏为其卫胄曹参军[⑨],充引驾仗判官,尽用其言。将军迁帅凤翔[⑩],君随往,改试大理评事,摄监察御史、观察判官,栉垢爬痒[11],民获苏醒。

居岁余,如有所不乐,一旦载妻子入阌乡南山[12],不顾。中书舍人王涯、独孤郁[13],吏部郎中张惟素[14],比部郎中韩愈[15],日发书问讯,顾不可强起,不即荐。明年九月,疾病,舆医京师,其月某日卒,年四十四。十一月某日,即葬京城西南长安县界中。曾祖爽,洪州武宁令[16]。祖微,右卫骑曹参军[17]。父嵩,苏州昆山丞[18]。妻上谷侯氏处士高女[19]。

高固奇士,自方阿衡太师[20],世莫能用吾言,再试吏,再怒去,发狂投江水。初,处士将嫁其女,惩曰:"吾以龃龉穷[21],一女怜之,必嫁官人,不以与凡子!"君曰:"吾求妇氏久矣,唯此翁可人意。且闻其女贤,不可以失!"即谩谓媒妪[22]:"吾明经及第,且选,即官人,侯翁女幸嫁,若能令翁许我,请进百金为妪谢!"诺许白翁。翁曰:"诚官人耶? 取文书来!"君计穷吐实。妪曰:"无苦! 翁大人不疑人欺,我得一卷书,粗若告身者[23],我袖以往,翁见,未必取视,幸而听我。"行其谋。翁望见文书衔袖,果信不疑,曰:"足矣!"以女与王氏。生三子,一男二女;男三岁夭死,长女嫁亳州永城尉姚挺,其季始十岁。铭曰:

鼎也不可以柱车,马也不可以守闾[24]。佩玉长裾,不利走趋。只系其逢,不系巧愚。不谐其须,有衔不祛[25]。钻石埋辞,以列幽墟。

【注释】

①试:未正式任命,这里指代理官职。大理评事:官名,大理寺评事。

②戾契：奇斜不正之行，这里指不正当的途径。

③干：求谒。

④上：指唐宪宗。

⑤四科：指贤良方正直言极谏科、博通坟典达于教化科、达于吏治可使从政科、军谋宏达材任将帅科四种科举考试科目。

⑥直言试：指贤良方正直言极谏科考试。

⑦金吾李将军：李惟简，时为左金吾卫大将军。

⑧蹐(jí)：小步行走。一作“踖”。

⑨胄曹参军：金吾卫的属官。

⑩凤翔：今属陕西。

⑪栉垢爬痒：像梳子梳去污垢、搔爬痒处一样。比喻革除弊政。

⑫阌(wén)乡：地名，在今河南灵宝。

⑬王涯：字广津，唐大臣，官至司空。独孤郁：字古风，唐散文家，官至秘书少监。

⑭张惟素：唐时人，官至工部侍郎。

⑮比部郎中：唐代刑部官职。

⑯洪州：南昌古称，治所在豫章(今属江西)。

⑰右卫骑曹参军：官名。

⑱昆山：今属江苏。

⑲侯氏处士高：侯高，字玄览，曾隐居庐山。处士，有才学而隐居不做官的人。

⑳阿衡：官职名，为古代执政的大官，这里代指商汤大臣伊尹。太师：官职名，三公之一，西周始置。周初，吕尚(即姜子牙)辅政，曾任此官职。

㉑龃龉：彼此抵触而不相合。

㉒谩:欺骗。媒妪:媒人。

㉓告身:唐朝任命官员的文书。

㉔鼎也不可以柱车,马也不可以守闾:宝鼎不能用来支撑车子,好马不能让它看守门户。《淮南子·齐俗训》有云:"柱不可以摘齿,筐不可以持屋,马不可以服重,牛不可以追速,铅不可以为刀,铜不可以为弩,铁不可以为舟,木不可以为釜。"当谓物要尽其用,人要尽其才。

㉕不谐其须,有衔不祛:比喻抱负难以施展。

【译文】

先生名适,姓王。喜欢读书,胸怀非凡志向,凭恃意气,不愿跟在别人后边参加科考选拔。他看到功勋事业有途径可以轻易取得,名望节操也可以通过奇邪不正之行获取,但碍于自己没有资历和地位,不能凭借自己的力量出人头地,于是去求托公卿显贵,借助他们的声威和势力。但那些公卿显贵们已经志满意得,都喜欢那些阿谀逢迎、花言巧语的人,不喜欢听生硬耿直的话,见过王君一次后,就吩咐守门人不让他再进来。皇上刚即位时,通过四种科目考试招募天下人才,王君笑着说:"这不正是我的机会吗?"于是提着他所写的书,沿途歌唱吟咏,赶赴贤良方正直言极谏科的考试。到了那里后,对答语出惊人,结果没有考中,此后他的处境愈发困窘。

过了很久,王君听说金吾卫李将军年少气盛,喜欢结交豪杰贤士,可以打动他。于是登门说道:"天下闻名的奇男子王适,希望面见将军陈述事情。"两人一见面,谈得很投机,从此王君便常常出入李将军门下。卢从史任昭义军节度使后,嚣张跋扈,轻视那些按照规矩办事的人,愿意听无所顾忌的狂妄言论,有人把王君的生平事迹告诉他，他立即派人设法招致王君。王君说：“卢从史是个狂妄之徒，不能跟他共事。”立即谢绝了说客。李将军从此对他更加优厚，奏请朝廷任他为金吾卫胄曹参军，充任引驾仗判官，对他的意见全部加以采纳。李将军升任凤翔陇右军节度使后，王君随同前往，改任代理大理评事，兼任监察御史、观察判官。他在任上除弊兴利，如同梳子梳去污垢、搔爬痒处一样，使百姓从重病中苏醒过来。

过了一年多，王君好像有些不快活。有一天用车载着妻子儿女，头也不回地到阌乡南山去了。中书舍人王涯、独孤郁，吏部郎中张惟素和比部郎中韩愈每天寄信询问，看样子不能勉强他出来做官，就不再推荐他了。第二年九月王君病重，用车子送到京城医治，某月某日去世，享年四十四岁。十一月的某一天，安葬在京城西南长安县内。王君的曾祖父名爽，曾任洪州武宁县令。祖父名微，曾任右卫骑曹参军。父亲名嵩，曾任苏州昆山县丞。妻子侯氏是上谷郡处士侯高的女儿。

侯高本是个德才出众的人，自比为伊尹、吕尚，认为当世没有人能采用自己的主张，两次出任官吏，两次都愤然离去，最终精神失常跳江自杀了。当初，侯高处士打算嫁女儿，告诫家人说：“我因为跟人意见不合才不得志，我只有一个女儿，非常疼爱她，一定让她嫁个做官的，不能嫁给普通百姓。”王君说：“我寻找妻室已经很久了，只有这个老翁合乎我的心意，而且听说他的女儿很贤惠，不能失掉这个机会。”于是骗媒婆说：“我已经考取了明经科，即将被朝廷选用，马上是要做官的人了。希望侯翁的女儿能嫁给我，如果你能让老翁答应我的请求，我就送您百金作为谢礼。”媒婆应承下来，向侯处士说亲。侯翁问：“真是当官的吗？把他考中的文书拿来。”王君没有办法只好向媒婆吐露了实情。媒婆说：“不用苦恼，侯翁是位君子，不会怀疑别人骗他，找一卷大致像授官凭证那样的文书，我揣在袖子里带去，侯翁见了不一定仔细查验，可能侥幸会听信我的话。”王君按照媒人的计谋行事。侯翁远远望见媒人袖筒里装着文书，果真相信不疑，说：“够了。”就把女儿许配给王君。婚后生下三个孩子，一男两女，男孩子三岁就夭折了，大女儿嫁给亳州永城县尉姚挺，小女儿才十岁。铭文说：

宝鼎不能用来支撑车子，好马不能让它看守门户。佩戴着玉饰拖着长袖，不利于奔跑疾走。人的命运遭际只取决于机遇，并不关乎聪明或愚笨。不符合世俗的需要，怀有远大的抱负也不能施展。把这些话刻在石头上，埋在地下，陈列在幽暗的墓穴中。

【题解】

本文选自《昌黎先生集》卷三十二。全文综括了墓主柳宗元的世系、辞章、品誉、交友及生活遭际，着重记述了他在贬谪柳州期间的政绩，及“文穷而后工”的艺术创作哲学。全篇从个人境遇影射世态人性，对故友充溢深情，称得上韩愈墓志铭中的压卷之作。

柳子厚墓志铭[1]

【原文】

子厚，讳宗元[2]。七世祖庆[3]，为拓跋魏侍中[4]，封济阴公。曾伯祖奭[5]，为唐宰相，与褚遂良、韩瑗俱得罪武后[6]，死高宗朝。皇考讳镇[7]，以事母弃太常博士，求为县令江南[8]；其后以不能媚权贵[9]，失御史，权贵人死[10]，乃复拜侍御史[11]，号为刚直，所与游，皆当世名人。

子厚少精敏，无不通达，逮其父时，虽少年，已自成人。能取进士第，崭然见头角[12]，众谓柳氏有子矣。其后以博学宏词[13]，授集贤殿正字[14]。俊杰廉悍[15]，议论证据今古，出入经史百子，踔厉风发[16]，率常屈其座人[17]，名声大振，一时皆慕与之交。诸公要人，争欲令出我门下，交口荐誉之[18]。

贞元十九年，由蓝田尉拜监察御史[19]。顺宗即位，拜礼部员外郎[20]。遇用事者得罪[21]，例出为刺史[22]。未至，又例贬州司马[23]。居闲益自刻苦[24]，务记览为词章，泛滥停

蓄，为深博无涯涘[25]，而自肆于山水间。

元和中[26]，尝例召至京师，又偕出为刺史，而子厚得柳州[27]。既至，叹曰："是岂不足为政邪！"因其土俗，为设教禁，州人顺赖。其俗以男女质钱[28]，约不时赎，子本相侔[29]，则没为奴婢。子厚与设方计[30]，悉令赎归；其尤贫力不能者，令书其佣，足相当，则使归其质。观察使下其法于他州[31]，比一岁，免而归者且千人。衡湘以南，为进士者，皆以子厚为师，其经承子厚口讲指画为文词者，悉有法度可观。

其召至京师而复为刺史也，中山刘梦得禹锡亦在遣中[32]，当诣播州[33]。子厚泣曰："播州非人所居，而梦得亲在堂[34]，吾不忍梦得之穷，无辞以白其大人[35]，且万无母子俱往理！"请于朝，将拜疏[36]，愿以柳易播，虽重得罪，死不恨。遇有以梦得事白上者，梦得于是改刺连州[37]。呜呼！士穷乃见节义。今夫平居里巷相慕悦，酒食游戏相征逐，诩诩强笑语以相取下[38]，握手出肺肝相示，指天日涕泣，誓生死不相背负，真若可信。一旦临小利害，仅如毛发，比反眼若不相识；落陷井，不一引手救，反挤之，又下石焉者，皆是也。此宜禽兽夷狄所不忍为，而其人自视以为得计，闻子厚之风，亦可以少愧矣[39]！

子厚前时少年，勇于为人，不自贵重顾藉[40]，谓功业可立就，故坐废退[41]。既退，又无相知有气力得位者推挽[42]，故卒死于穷裔[43]，材不为世用，道不行于时也。使子厚在台省时[44]，自持其身已能如司马刺史时，亦自不斥；斥时，而有人力能举之，且必复用不穷。然子厚斥不久，

穷不极，虽有出于人，其文学辞章，必不能自力，以致必传于后如今，无疑也。虽使子厚得所愿，为将相于一时，以彼易此，孰得孰失，必有能辨之者。

子厚以元和十四年十一月八日卒，年四十七。以十五年七月十日，归葬万年先人墓侧[45]。子厚有子男二人，长曰周六，始四岁，季曰周七，子厚卒，乃生。女子二人，皆幼。其得归葬也，费皆出观察使河东裴君行立[46]。行立有节概，立然诺[47]，与子厚结交，子厚亦为之尽，竟赖其力。葬子厚于万年之墓者，舅弟卢遵[48]。遵，涿人[49]，性谨慎，学问不厌。自子厚之斥，遵从而家焉，逮其死，不去。既往葬子厚，又将经纪其家[50]，庶几有始终者[51]。

铭[52]曰：是惟子厚之室[53]，既固既安，以利其嗣人[54]。

【注释】

①子厚：柳宗元的字。作墓志铭一般称死者官衔，因韩愈和柳宗元交情甚笃，故称字。

②讳：名。生者称名，死者称讳。

③七世祖庆：柳宗元七世祖柳庆，字更兴，在北魏时任侍中，仕北周为宜州刺史，被封为平齐县公。柳庆之子柳旦，任北周中书侍郎，封济阴公。这里的“七世祖庆……封济阴公”疑误。

④拓跋魏：北魏国君姓拓跋（后改姓元），故称。

⑤曾伯祖奭（shì）：柳奭，字子燕，柳旦之孙，柳宗元高祖子夏之兄。这里当为高伯祖，“曾伯祖”疑误。

⑥褚遂良：字登善，官至尚书右仆射。韩瑗：字伯玉，官至侍中。武后：武则天，唐高宗时初为昭仪，后为皇后。后自立为帝，建立武周

王朝。

⑦皇考:古时在位皇帝对先皇的尊称,后引申为对先祖的尊称,在这里指柳宗元的先父柳镇。

⑧以事母弃太常博士,求为县令江南:柳镇在唐肃宗时授左卫率府兵曹参军,后调长安主簿,母亲去世守丧期满后,被任命为太常博士。柳镇以"有尊老孤弱在吴"再三辞谢,愿担任宣城(今属安徽)县令。这里的"以事母弃太常博士"疑误。

⑨权贵:指当时的宰相窦参。

⑩权贵人死:贞元九年,窦参获罪被贬,第二年被赐死。

⑪侍御史:御史台的属官。

⑫崭然:高峻突出的样子。

⑬博学宏词:唐代科举考试的名目,登科难度不亚于进士及第。贞元十四年,26岁的柳宗元参加了博学宏词科考试。

⑭集贤殿:集贤殿书院。正字:雠校典籍、刊正文章的官吏。

⑮俊杰廉悍:俊秀出众,正直坚毅。

⑯踔(chuō)厉风发:指议论层出不穷,言辞奋发。

⑰屈其座人:使在座的人心悦诚服。

⑱交口荐誉:异口同声地举荐、赞扬。

⑲监察御史:掌管监察百官、巡视郡县、纠正刑狱、肃整朝仪等事务,品秩低而权限广。

⑳礼部员外郎:顺宗即位,任用王叔文等实施政治革新,柳宗元被擢为礼部员外郎。

㉑用事者:这里指王叔文,唐越州山阴(今浙江绍兴)人,"永贞革新"的领导者。

㉒例出为刺史:柳宗元被贬为邵州(今湖南邵阳)刺史。例出,按规

定、条例遣出。

㉓州司马:这里指永州(今湖南永州)司马。

㉔居闲:指公事清闲。

㉕涯涘(sì):水的边际,这里引申为事物的界限。

㉖元和:唐宪宗的年号。

㉗子厚得柳州:柳宗元被派往柳州。

㉘质:抵押。

㉙子:子金,即利息。本:本金。侔:相等。

㉚设方计:想方设法。

㉛观察使:官职名,唐代设置的各道的最高长官,负责察访州县官吏功过及民间疾苦。

㉜刘梦得:名禹锡,唐代著名诗人,也因"永贞革新"失败被贬。

㉝播州:今贵州遵义。

㉞亲在堂:母亲健在。

㉟大人:指母亲。

㊱拜疏:上奏章。

㊲连州:今广东连州。时御史中丞裴度上奏,刘禹锡得以改任连州刺史。

㊳诩诩:和集的样子,指和睦团结。

㊴少:稍微。

㊵顾藉:爱惜,顾惜。

㊶坐:定罪,获罪。

㊷推挽:推荐,引荐。

㊸裔:边远的地方。

㊹台省:唐高宗时以尚书省为中台,门下省为东台,中书省为西台,总

称为台省。

㊺万年：县名，在今陕西长安。

㊻裴君行立：裴行立，绛州稷山（在今山西）人，柳宗元的上司兼朋友。元和十五年，为柳宗元出资使其得以归葬万年县。

㊼立：或作“重”。

㊽卢遵：柳宗元内弟。柳宗元被贬谪后，卢遵南下永州，后又至柳州，直至柳宗元去世。

㊾涿：县名，在今河北。

㊿经纪：料理，安排。

51庶几：差不多，可以。

52铭：铭文。

53室：这里指墓穴。

54嗣人：子孙后代。

【译文】

子厚名讳宗元。他的七世祖柳庆担任过北魏的侍中，被封为济阴公。曾伯祖父柳奭担任过唐朝的宰相，和褚遂良、韩瑗都因为得罪武后，在唐高宗当朝时被害。子厚的父亲叫柳镇，因为要奉养母亲便辞去了太常博士之职，请求到江南做县官。之后又因为不肯逢迎有权势的人，丢掉了御史的官职。当权高官死后，才被重新起用为侍御史，他以刚直不阿著称，同他交往的都是当时的知名人士。

子厚年少时就聪明敏捷，没有什么事不明白通晓的。他父亲还在世时，他虽然年轻，但已经是个德才兼备的人。他一举便考中进士，显露出超凡的能力，大家都说柳家出了个好儿子。之后考取了博学宏词科，被授予集贤殿正字。他才能出众、正直坚毅，发表议论时常常引用古今事例，融会贯通经史和诸子百家的学说，言辞雄健、意气风发，经常能使在座的人心悦诚服。他因此名声大震，一时间人们都仰慕他，希望同他结交。公卿显要们争相让他做自己的门生，众口一词地举荐他、赞扬他。

贞元十九年(803)，他从蓝田县尉升任监察御史。顺宗继承帝位后，任命他为礼部员外郎。正碰上当权的人物犯了罪，他受牵连按惯例被贬谪出朝廷做了州刺史。还未到达任所，又转贬为永州司马。他在闲居时更加刻苦勤勉，尽力博览强记，写诗作文，如同汪洋恣肆、湖海蓄积，达到了广博雄厚没有边际的境界，而他自己则放纵肆意地寄情于山水之间。

元和年间，他曾经按规定被召回京城，接着又同其他人一起被派出京做刺史，子厚被分在柳州。到任以后，他感叹说："这里难道不能推行政治教化吗？"他依据当地的风俗，制定了教化法令，全柳州人民都顺从、信赖他。当地有个风俗，拿子女作抵押向人借钱，如果到约定日期不按时赎回，等到利息和本金相等时，子女便被债主没收充当奴婢。子厚替他们想方设法，使他们都能赎回人质。那些特别穷苦，没有财力的人家，就让债主记下人质当佣工时应得的工钱，等到工钱和借债相抵时，就责令债主归还人质。观察使把这个办法下达推广到其他州，等过了一年，免除奴婢身份释放回家的将近一千人。衡山、湘水以南打算考进士的读书人，都拜子厚做老师。经过子厚讲授指导的人所作的文章，都合乎规范、值得一读。

子厚被召回京城又被贬为刺史时，中山人刘禹锡也在被贬遣的人当中，他应当前往播州。子厚流着泪说："播州不适宜人居住，而且梦得的老母亲还健在，我不忍心看到梦得如此窘迫，以至于无法向母亲说明一切。况且也绝没有母子同去贬所的道理。"于是他准备向朝廷请求，呈递奏章，愿意用柳州换播州，即使因此再次获罪，至死也无憾。刚巧碰上有人把梦得的情况奏明朝廷，梦得于是改任连州刺史。唉！人在困窘之时才能显示出气节和道义。现在有些人平常住在一条街巷，彼此敬慕交好，宴饮玩乐互相邀请往来，假惺惺地说说笑笑以示谦逊友好，握手言欢时像要掏出心肝给对方看，指着天上的太阳痛哭流涕，发誓不论生死都不背弃辜负对方，像真的一样可信。一旦遇到小的利害冲突，哪怕小得像毛发一般，也会翻脸装作好像不认识；别人掉入陷阱，不但不肯伸手援救，反而趁机推挤，往下扔石头，这种人到处都是。这些事连禽兽和异族人都不忍心去做，而那些人却认为做得对。他们如果听到了子厚的为人作风，也会稍微感到惭愧吧！

子厚以前年轻时，勇于帮助别人，自己不保重、顾惜自己，认为很快可以成就功业，所以获罪被黜退。贬谪之后，又没有一个有权势有地位的知己来荐举提拔他，因此最后死在荒远的边地，才能不被当世所用，主张不能在当时得到推行。假使子厚在御史台、尚书省任职时，能谨慎约束自身，像后来做司马、刺史时那样，自然不会遭受贬斥。假如被贬斥时有人能大力保举他，就一定会被重新起用而不至于陷入困境。然而倘若子厚被贬斥的时间不长，穷困不到极点，即便他能出人头地，那么他对文学创作一定不会下很大功夫，从而不会使他的作品像现在这样必然流传后世，这点是毫无疑问的。即使让子厚实现他的心愿，在一个时期内出将入相，拿他的文学成就来换官荣禄厚，哪一种算得，哪一种算失，必定有人能辨别清楚。

子厚于元和十四年(819)十一月八日逝世，终年四十七岁。元和十五年(820)七月十日，其灵柩被安葬在万年县祖先墓旁。子厚有两个儿子：长子叫周六，刚四岁，次子叫周七，子厚去世后才出生。有两个女儿，都还很年幼。他的灵柩能够运回万年县安葬，费用都是观察使河东人裴行立出的。裴行立有志节、重信义，和子厚交为朋友，子厚对他也是尽心尽意，最终还是依赖他的力量料理了后事。把子厚安葬在万年县墓地的，是他的表弟卢遵。卢遵是涿州人，性格细致慎重，研究学问不知满足。自从子厚被贬以来，卢遵就跟随着他并在那里安了家，直到子厚死时也没有离开。送子厚安葬完之后，还打算安排料理好他的家事，可以称得上是个有始有终的人。

铭文说：这里是子厚的墓室，既坚固又安静，有利于他的后嗣子孙。

杂文

【题解】

本文选自《昌黎先生集》卷三十六。韩愈模仿《史记》中《滑稽列传》的笔调，将毛笔比拟为一个虚构的人物毛颖，交代了兔毛做成的笔流传发展以及最终被废弃的过程。全篇寓庄于谐、以笔喻人，将宦海沉浮、帝王寡恩的感叹及官场的炎凉，借诙谐嬉笑的寓言形式表现出来。

毛　颖　传[①]

【原文】

毛颖者，中山人也[②]。其先明视[③]，佐禹治东方土[④]，养万物有功，因封于卯地[⑤]，死为十二神[⑥]。尝曰："吾子孙神明之后，不可与物同，当吐而生。"已而果然。明视八世孙𩡷[⑦]，世传当殷时，居中山，得神仙之术，能匿光使物[⑧]，窃姮娥[⑨]，骑蟾蜍入月[⑩]，其后代遂隐不仕云。居东郭者曰㕙[⑪]，狡而善走，与韩卢争能[⑫]，卢不及，卢怒，与宋鹊谋而杀之[⑬]，醢其家[⑭]。

秦始皇时，蒙将军恬南伐楚[⑮]，次中山，将大猎以惧楚。召左右庶长与军尉以《连山》筮之[⑯]，得天与人文之兆，筮者贺曰："今日之获，不角不牙，衣褐之徒，缺口而长须，八窍而趺居[⑰]，独取其髦，简牍是资，天下其同书[⑱]，秦其遂兼诸侯乎！"遂猎，围毛氏之族，拔其豪，载颖而归。献俘于章台宫[⑲]，聚其族而加束缚焉。秦皇帝使恬赐之

汤沐，而封诸管城[20]，号曰管城子，日见亲宠任事。

颖为人，强记而便敏[21]，自结绳之代[22]，以及秦事，无不纂录。阴阳、卜筮、占相、医方、族氏、山经、地志、字书、图画、九流、百家、天人之书，及至浮图、老子、外国之说，皆所详悉。又通于当代之务，官府簿书，市井货钱注记，惟上所使。自秦皇帝及太子扶苏胡亥[23]，丞相斯[24]，中车府令高[25]，下及国人，无不爱重。又善随人意，正直邪曲巧拙，一随其人，虽见废弃，终默不泄。惟不喜武士，然见请，亦时往。累拜中书令，与上益狎[26]，上尝呼为中书君。上亲决事，以衡石自程[27]，虽宫人不得立左右，独颖与执烛者常侍，上休，方罢。颖与绛人陈玄[28]，弘农陶泓[29]，及会稽褚先生友善[30]，相推致，其出处必偕。上召颖，三人者不待诏，辄俱往，上未尝怪焉。

后因进见，上将有任使，拂拭之，因免冠谢[31]，上见其发秃，又所摹画不能称上意，上嘻笑曰："中书君老而秃，不任吾用，吾尝谓君中书，君今不中书邪?"对曰："臣所谓尽心者。"因不复召，归封邑，终于管城。其子孙甚多，散处中国夷狄，皆冒管城，惟居中山者能继父祖业。

太史公曰[32]：毛氏有两族：其一姬姓，文王之子封于毛，所谓鲁卫毛聃者也[33]；战国时，有毛公毛遂[34]。独中山之族，不知其本所出，子孙最为蕃昌。《春秋》之成，见绝于孔子，而非其罪[35]。及蒙将军拔中山之豪，始皇封诸管城，世遂有名，而姬姓之毛无闻。颖始以俘见，卒见任使，秦之灭诸侯，颖与有功，赏不酬劳，以老见疏，秦真少恩哉!

【注释】

①毛颖:指毛笔。

②中山:山名,在今江苏溧水,出兔毫,制笔精良。

③明视:《礼记·曲礼下》:"兔曰明视。"

④佐禹:辅佐大禹。

⑤卯:属兔。

⑥十二神:指十二生肖。

⑦䨲(nóu):兔子。

⑧匿光使物:隐身于光亮之中,役使各种事物。

⑨姮娥:一名"恒娥"。后羿的妻子,即"嫦娥"。

⑩蟾蜍:俗称癞蛤蟆,古代神话中记载,月中有蟾蜍。

⑪㕙(jùn):狡兔。

⑫韩卢:战国时韩国的名犬,色黑。

⑬宋鹊:春秋时宋国的良犬。

⑭醢(hǎi):古代的一种酷刑,将人剁成肉酱。

⑮蒙将军恬:蒙恬,秦朝名将,相传他最先发明了毛笔。

⑯《连山》:古代占卜书,与《周易》《归藏》统称为"三易"。

⑰趺(fū)居:指盘腿端坐的姿势。

⑱天下其同书:秦朝统一后,曾统一文字。

⑲章台宫:秦朝建都咸阳后,在章台修建的宫殿名。

⑳管城:这里借指装毛笔的主管。

㉑便敏:聪敏伶俐。这里指用毛笔写字很方便。

㉒结绳之代:上古时代没有文字,结绳以记事,故称"结绳之代"。

㉓扶苏:秦始皇长子,颇有政治远见,曾与蒙恬一起防御匈奴,后被逼迫自杀而死。胡亥:秦始皇次子。秦始皇驾崩后,赵高矫诏杀扶

苏，立胡亥为秦二世。

㉔斯：李斯。

㉕高：赵高。

㉖狎：亲近而态度不庄重。

㉗以衡石自程：这里指秦始皇勤于政事，每天要看一百二十斤重的文书。语出《史记·秦始皇本纪》："天下之事无小大皆决于上，上至以衡石量书，日夜有呈。"石，一百二十斤。

㉘绛人陈玄：指墨。唐代朝廷用墨产自绛州（在今山西）。

㉙弘农陶泓：指砚。唐代弘农郡（今陕西灵宝）每年向朝廷进贡瓦砚。

㉚会稽褚先生：指纸。会稽，今浙江绍兴。

㉛免冠：脱下帽子。

㉜太史公曰：本文仿《史记》人物列传的体例而作，故文末以"太史公曰"的形式发表议论。

㉝鲁卫毛聃：周初分封的四个诸侯国。

㉞毛公：战国时赵国隐士，见《史记·魏公子列传》。毛遂：战国时赵国平原君的门客，见《史记·平原君虞卿列传》。

㉟见绝于孔子，而非其罪：孔子作《春秋》，因"获麟"事而绝笔，而不是毛笔的过错。

【译文】

毛颖是中山人。他的祖先名叫明视，曾经辅佐大禹治理东方国土，因养育万物有功，于是被封在卯地，死后成为十二神明之一。他曾经说："我的子孙是神灵的后代，不同于其他生物，出生时应当从口中吐出来。"后来果真就是这样。明视的第八代孙名叫䨲，历来传说他在殷商时期住在中山，学到了神仙法术，能够隐身于光亮中，又能役使各种事物，后来拐骗了嫦娥，骑上蟾蜍飞入月宫，他的后代于是隐居起来再不肯做官。有个住在东郭的名叫䨲，狡黠而又善于奔跑，他和韩卢比试本领，韩卢赶不上他。韩卢恼羞成怒，串通宋鹊合谋杀害了他，还把他一家人剁成了肉酱。

秦始皇的时候，蒙恬将军南下征讨楚国，军队驻扎在中山，准备举行大规模的狩猎活动来威吓楚人。蒙恬召集左庶长、右庶长和军尉，用《连山》卦来占卜吉凶，得到自然和人事的征兆。占卜的人祝贺说："今天捕获的猎物，既没有犄角也没有利牙，身穿粗布衣服，嘴上有缺口并且长着长长的胡须，身上有八个洞孔并且盘腿蹲着，而取得他们身上的长毛就可用来写字，这预示着天下将要统一文字，秦国将要兼并六国了啊！"于是秦军开始进攻，包围了毛氏家族，选拔了其中的杰出人物，用车装着毛颖凯旋。蒙恬到章台宫里向秦始皇献上俘虏，把毛氏家族的人聚集在一起，全部捆绑起来。秦始皇派蒙恬赐给毛颖汤沐邑，并把他封在管城，称为管城子，此后日益被秦始皇宠爱、亲近，并被委以重任。

毛颖的为人，记忆力强并且聪敏伶俐，从远古结绳时代一直到秦朝的事情，没有他不编纂记录的。阴阳、卜筮、相术、医方、族氏、山经、地志、字书、图画、九流、百家、研究自然和人事的书，以至佛教、老子、外国的学说，他都了解得很详细。他还精通当代的事务，官府的簿册、文书，市场上记载财货、钱币的账目，只要皇帝派遣，他就能办好。上自秦始皇和太子扶苏、公子胡亥、丞相李斯、中车府令赵高，下到普通百姓，没有不喜爱、看重他的。毛颖又善于顺从别人的心意，不论正直、邪曲、巧拙，完全听从别人的意愿，即使被抛弃不用，也始终保持沉默不泄露出来。他只是不喜欢武卒，但是如果收到武卒的邀请，也能按时前往。毛颖连续升迁做到了中书令，和皇帝关系更加亲密，皇帝曾经称他为中书君。始皇亲自决断政事，批阅公文，每日要看一百二十斤重的文书，即使是宫人也不能站在他身旁，唯独毛颖和手持灯烛的人常常侍奉左右。等到皇帝休息，他们才退下。毛颖和绛州人陈玄、弘农人陶泓、会稽人褚先生很交好，他们互相推举引荐，不论出仕、隐退总是在一起。皇帝召见毛颖时，另外三人不等下令，就一同前去了，皇帝也不曾怪罪他们。

后来有一次毛颖晋见，皇帝将派他去做一件事，提拔他，毛颖立即摘下帽子谢恩，皇帝看见他头顶秃了，又想到他近来几次规划都不符合自己的心意，便取笑他说："中书君如今年老又发秃，不能胜任我的任用了。我曾经称你中书君，如今你不是个称职的中书了吧？"毛颖回答说："小臣正是人们所说的竭尽心力的人。"因此秦始皇就不再召见他，让他回到自己的封地，最后死在管城。毛颖的子孙很多，散居在中原和边远的蛮夷之地，他们都冒称属于管城毛氏，其实只有住在中山的一支能够继承祖父辈的事业。

太史公说："毛氏有两族，其中的一族姓姬，是西周文王的儿子，封在毛地，就是所说的鲁、卫、毛、聃四个诸侯国中的毛氏。战国时代有毛公、毛遂。只有中山这一族，不知他们出自哪个祖先，子孙最为繁盛兴旺。《春秋》这部书写成时，毛氏被孔子摒弃不用，但这并不是毛氏的过错。等到蒙恬将军选拔中山的杰出人物，秦始皇把毛颖封在管城，中山一支的毛氏才在世上有了名气，而姬姓的毛氏却不为人知了。毛颖最初以俘虏的身份被秦始皇召见，最终被皇帝差遣委用，秦国消灭各诸侯国，毛颖参与并立了功，但给他的封赏与功劳并不相符，后来因为年老就被冷落疏远，秦朝真是刻薄寡恩啊！"

【题解】

本文选自《昌黎先生集》卷三十六。全篇模仿扬雄《逐贫赋》的体例,通过自己和穷鬼间的两问两答,全面展现了韩愈在人格、学识、文风、道德、交友五方面的可贵品格。作者借送穷鬼来突出自身"君子固穷"的坚定立场,同时也是对耿直刚正、永不妥协精神的自我歌颂。

送穷文

【原文】

元和六年正月乙丑晦[①],主人使奴星结柳作车,缚草为船,载糗与粻[②],牛系轭下[③],引帆上樯,三揖穷鬼而告之曰[④]:"闻子行有日矣,鄙人不敢问所涂[⑤],窃具船与车,备载糗粻,日吉时良,利行四方,子饭一盂,子啜一觞,携朋挈俦[⑥],去故就新。驾尘彍风[⑦],与电争先,子无底滞之尤[⑧],我有资送之恩,子等有意于行乎?"

屏息潜听,如闻音声,若啸若啼,砉欻嚘嘤[⑨]。毛发尽竖,竦肩缩颈,疑有而无,久乃可明。若有言者曰:"吾与子居,四十年余,子在孩提,吾不子愚,子学子耕,求官与名,惟子是从,不变于初。门神户灵,我叱我呵,包羞诡随[⑩],志不在他。子迁南荒[⑪],热烁湿蒸,我非其乡,百鬼欺陵。太学四年,朝齑暮盐[⑫],唯我保汝,人皆汝嫌。自初及终,未始背汝,心无异谋,口绝行语,于何听闻,云我当去?是必夫子信谗,有间于予也。我鬼非人,安用车船，鼻嗅臭香，糗粻可捐。单独一身，谁为朋俦，子苟备知，可数已不。子能尽言，可谓圣智，情状既露，敢不回避。”

主人应之曰：“子以吾为真不知也邪？子之朋俦，非六非四[13]，在十去五，满七除二，各有主张，私立名字，捩手覆羹[14]，转喉触讳[15]，凡所以使吾面目可憎，语言无味者，皆子之志也。其名曰智穷，矫矫亢亢[16]，恶圆喜方，羞为奸欺，不忍害伤。其次名曰学穷，傲数与名[17]，摘抉杳微[18]，高挹群言[19]，执神之机。又其次曰文穷，不专一能，怪怪奇奇，不可时施，只以自嬉。又其次曰命穷，影与形殊，面丑心妍，利居众后，责在人先。又其次曰交穷，磨肌戛骨[20]，吐出心肝，企足以待，置我仇冤。凡此五鬼，为吾五患，饥我寒我，兴讹造讪[21]，能使我迷，人莫能间。朝悔其行，暮已复然，蝇营狗苟[22]，驱去复还。”

言未毕，五鬼相与张眼吐舌，跳踉偃仆[23]，抵掌顿脚，失笑相顾，徐谓主人曰：“子知我名，凡我所为，驱我令去，小黠大痴[24]。人生一世，其久几何，吾立子名，百世不磨。小人君子，其心不同，惟乖于时，乃与天通。携持琬琰[25]，易一羊皮，饫于肥甘，慕彼糠糜[26]。天下知子，谁过于予，虽遭斥逐，不忍子疏，谓予不信，请质《诗》《书》！”

主人于是垂头丧气，上手称谢[27]，烧车与船，延之上座。

【注释】

①晦：农历每月的最后一天。

我是鬼不是人，哪里用得着车、船？鼻子闻到食物的香味就饱了，干粮大可舍弃。我单独一个，谁是我的朋友伙伴？你如果全都知道的话，能否一一列举出来？你能全部说出来，可以称得上是无所不知的智者，我的情况已经暴露，哪里敢不避开你？”

主人回答它说：“你以为我真不知道吗？你的同伴，不是六个也不是四个，而是十个去掉五个，满七个减去两个。你们各自有独立的见解，私下自己取有名字，你们使我一动手就打翻羹汤，一开口就触犯别人的忌讳，所有这些让我面目惹人厌、说话乏味的行为，都是你们的意愿。你们其中一个名叫智穷，他刚直不阿，厌恶圆滑喜欢正派，耻于做那种奸邪欺诈的勾当，不忍心伤害别人；第二个名叫学穷，他轻视命数与名物这类学问，专门探讨阐发深奥微妙的道理，见识高远地吸收各家学说的精华，掌握了神思玄妙的关键；第三个名叫文穷，他不只擅长一种技能，写出的文章奇奇怪怪，不能施用在当世，只能用来自我娱乐；第四个名叫命穷，他的影子和身形不同，面貌丑陋但内心美好，谋求利禄退居别人之后，承担责任就站在别人之前；第五个名叫交穷，不怕自身肌肉消耗、骨骼损伤，甚至不惜吐出心肝来，踮脚期盼朋友的到来，但朋友却把他当作仇敌冤家。所有这五个穷鬼，是我的五种祸患，使我遭受饥饿寒冷，给我兴起谣言、虚构诽谤，使我神思迷乱，没有人能把我和你们隔离开。我早上悔恨自己的言行，晚上却又恢复了原样。你们像苍蝇般到处钻营，像狗一样苟且求活，赶走了又回来。”

话还没说完，五个穷鬼一起睁大眼睛、吐出舌头，跳跃仆倒，又鼓掌又跺脚，相互看着，不禁大笑起来，慢慢地对主人说：“你知道我们的名字以及我们的所作所为，驱逐我们，命令我们离开，这真是小处聪明大处愚笨啊。人生一辈子，能有多久呢？我们为你树立名声，千秋百代也不会磨灭。小人和君子，他们的心思是不同的，君子虽然不合于时俗，却能跟天意相通。你为什么要拿美玉换一张羊皮，饱食美味却羡慕糟糠煮成的粥。天下人谁能比我们更了解你呢？虽然遭到你的斥责驱逐，我们还是不忍心疏远你。如果说我的话不可信，那就请向《诗经》《尚书》求教吧！”

主人于是垂头丧气，拱手向穷鬼谢罪，烧掉扎好的车船，邀请他们坐到首席。

【题解】

本文选自《昌黎先生集》卷三十六，亦名《祭鳄鱼文》。文章将鳄鱼拟人化，通过对其晓之以理、宽之以期、慑之以威、悚之以法，以求达到驱逐鳄鱼，为民消弭灾害的目的。韩愈借题发挥，文章表现了他讨伐一切恶势力（藩镇军阀、贪官污吏）、关心民生疾苦的深层意蕴。

鳄　鱼　文

【原文】

维年月日[①]，潮州刺史韩愈[②]，使军事衙推秦济[③]，以羊一猪一，投恶溪之潭水[④]，以与鳄鱼食而告之曰：

昔先王既有天下，列山泽[⑤]，罔绳擉刃[⑥]，以除虫蛇恶物，为民害者，驱而出之四海之外。及后王德薄，不能远有，则江汉之间，尚皆弃之，以与蛮夷楚越[⑦]。况潮，岭海之间[⑧]，去京师万里哉！鳄鱼之涵淹卵育于此[⑨]，亦固其所。今天子嗣唐位[⑩]，神圣慈武，四海之外，六合之内[⑪]，皆抚而有之。况禹迹所掩，扬州之近地[⑫]，刺史县令之所治，出贡赋以供天地宗庙百神之祀之壤者哉！鳄鱼其不可与刺史杂处此土也。

刺史受天子命，守此土，治此民，而鳄鱼睅然不安溪潭[⑬]，据处食民畜熊豕鹿獐，以肥其身，以种其子孙，与刺史亢拒，争为长雄。刺史虽驽弱，亦安肯为鳄鱼低首下心，伈伈睍睍[⑭]，为民吏羞，以偷活于此邪！且承天子命以

来为吏，固其势不得不与鳄鱼辨。

鳄鱼有知，其听刺史言！潮之州，大海在其南，鲸鹏之大[15]，虾蟹之细，无不容归，以生以食。鳄鱼朝发而夕至也，今与鳄鱼约：尽三日，其率丑类南徙于海[16]，以避天子之命吏；三日不能，至五日；五日不能，至七日；七日不能，是终不肯徙也。是不有刺史听从其言也；不然，则是鳄鱼冥顽不灵，刺史虽有言，不闻不知也。夫傲天子之命吏，不听其言，不徙以避之，与冥顽不灵而为民物害者，皆可杀。刺史则选材技吏民，操强弓毒矢，以与鳄鱼从事[17]，必尽杀乃止，其无悔！

【注释】

①维年月日：一作“维元和十四年四月二十四日”。

②潮州：唐代州名，今属广东省。唐宪宗时，韩愈因谏迎佛骨一事被贬为潮州刺史。

③军事衙推：州刺史的属官。

④恶溪：在潮州城西。

⑤列：通“迾(liè)”，遮拦，封锁。

⑥擉(chuō)：戳，刺。

⑦蛮夷楚越：泛指偏远地区。

⑧岭：指越城、都宠、萌渚、骑田、大庾五岭。

⑨涵淹卵育：潜伏繁衍。

⑩嗣：继承。

⑪六合：指天地四方。

⑫扬州：古时潮州属于扬州地域。

⑬睅然：眼睛突出的样子。
⑭伈(xǐn)伈：恐惧的样子。睍(xiàn)睍：不敢正视的样子。
⑮鹏：传说中的大鸟。
⑯丑类：同类。
⑰从事：周旋，喻指和鳄鱼搏斗。

【译文】

某年某月某日，潮州刺史韩愈指派军事衙推秦济，把一只羊、一头猪投到恶溪的潭水中，用来给鳄鱼吃并告诉鳄鱼说：

过去贤明的君王掌管天下后，封锁山林水泽，用绳网捉捕、利刃刺杀的方法，以灭除虫、蛇等危害人们的可恶动物，把它们驱逐到四海之外。到了后来，有些君王恩德浅薄，没有能力统治远方，就连长江、汉水流域，尚且放弃给蛮、夷、楚、越外族。更何况处于五岭和南海之间，距离京城万里之远的潮州呢！鳄鱼在此地潜伏繁衍，本来就是很合宜的场所。当今天子继承了大唐的皇位，他圣明、仁慈且英武，四海以外，天地四方之内，都在他的安抚和统辖之下。更何况是大禹足迹所到过，古时扬州所辖属，刺史、县令所治理，每年交纳贡品、赋税来供应朝廷祭祀天地、宗庙、众神的潮州呢？鳄鱼，你们是不能和刺史共同生活在这块土地上的啊！

刺史受天子的任命，前来镇守这块土地，治理这里的民众，然而鳄鱼鼓着眼睛不安分守己地待在溪潭中，却占据在这里吞食百姓、牲畜、熊、野猪、鹿、獐，来养肥它们的身体，繁殖它们的后代，公然跟刺史抗衡，争做为首的强者。刺史虽然才能低下、力量薄弱，但岂能向鳄鱼低头屈从，胆怯害怕不敢正视，让官员百姓耻笑，并在此苟且偷安呢？况且刺史是奉天子的任命来这里做官的，情势上本来就不得不与鳄鱼争辩明白。

鳄鱼如果能够知道，请听清刺史的这番话：潮州这地方，大海在它的南边，大到鲸鱼、鹏鸟，小到虾米、螃蟹，没有不被大海所接纳收容，在那里生存取食的。鳄鱼早上从潮州出发，晚上就能到达大海。现在刺史和鳄鱼约定：限三天之内，率领你们的族类南迁到大海中去，避开天子任命的官吏；三天不够，就延长到五天；五天不够，就延长到七天；七天还办不到，那就表明你们最终不肯迁徙了。那就是不把刺史放在眼里，不肯听他的话了；否则就是鳄鱼愚昧无知、顽固不化，虽然刺史已经有言在先，但还是既不听、也不理解。凡是傲视天子委派的官吏，不肯听从他的命令，不迁徙到海里来回避他的，和那些愚昧顽固而又祸害百姓的生物，都应该杀死。刺史就要选拔有才干、有技能的官吏和民众，拿着强劲的弓和带毒的箭，来跟鳄鱼进行搏斗，一定把鳄鱼杀光才罢休。你们可不要后悔啊！

表状

【题解】

本文选自《昌黎先生集》卷三十九,是儒佛矛盾斗争以及韩愈辟佛主张的集中反映。他以大量历史事实与现实状况为例,阐述了"佛不足事"的中心论点,诤谏皇帝迎奉佛骨之举。文中,韩愈以儒家卫道者的身份自命,严肃批评了崇信佛教的荒谬性和危害性。

论佛骨表[①]

【原文】

臣某言:伏以佛者[②],夷狄之一法耳[③],自后汉时始流入中国[④],上古未尝有也。昔者黄帝在位百年[⑤],年百一十岁;少昊在位八十年,年百岁;颛顼在位七十九年,年九十八岁;帝喾在位七十年,年百五岁;帝尧在位九十八年,年百一十八岁;帝舜及禹,年皆百岁;此时天下太平,百姓安乐寿考[⑥],然而中国未有佛也。其后殷汤亦年百岁[⑦];汤孙太戊在位七十五年[⑧],武丁在位五十九年[⑨],书史不言其年寿所极,推其年数,盖亦俱不减百岁;周文王年九十七岁;武王年九十三岁;穆王在位百年;此时佛法亦未入中国,非因事佛而致然也。

汉明帝时,始有佛法,明帝在位,才十八年耳,其后乱亡相继,运祚不长[⑩]。宋齐梁陈元魏已下[⑪],事佛渐谨,年代尤促,惟梁武帝在位四十八年,前后三度舍身施佛[⑫],宗庙之祭,不用牲牢[⑬],昼日一食,止于菜果,其后竟为侯景所逼[⑭],饿死台城[⑮],国亦寻灭。事佛求福,乃更得祸,

由此观之，佛不足事，亦可知矣。

高祖始受隋禅[16]，则议除之，当时群臣材识不远，不能深知先王之道，古今之宜，推阐圣明，以救斯弊，其事遂止[17]，臣常恨焉！

伏惟睿圣文武皇帝陛下[18]，神圣英武，数千百年已来，未有伦比，即位之初，不许度人为僧尼道士，又不许创立寺观。臣常以为高祖之志，必行于陛下之手。今纵未能即行，岂可恣之转令盛也[19]！

今闻陛下令群僧迎佛骨于凤翔[20]，御楼以观，舁入大内[21]，又令诸寺递迎供养。臣虽至愚，必知陛下不惑于佛，作此崇奉以祈福祥也，直以年丰人乐，徇人之心[22]，为京都士庶设诡异之观，戏玩之具耳。安有圣明若此，而肯信此等事哉！然百姓愚冥，易惑难晓，苟见陛下如此，将谓真心事佛，皆云："天子大圣，犹一心敬信，百姓何人，岂合更惜身命。"焚顶烧指[23]，百十为群，解衣散钱，自朝至暮，转相仿效，惟恐后时，老少奔波，弃其业次[24]。若不即加禁遏，更历诸寺，必有断臂脔身以为供养者[25]，伤风败俗，传笑四方，非细事也！

夫佛本夷狄之人，与中国言语不通，衣服殊制，口不言先王之法言[26]，身不服先王之法服[27]，不知君臣之义，父子之情。假如其身至今尚在，奉其国命，来朝京师，陛下容而接之，不过宣政一见[28]，礼宾一设[29]，赐衣一袭，卫而出之于境，不令惑众也。况其身死已久，枯朽之骨，凶秽之余，岂宜令入宫禁！

孔子曰："敬鬼神而远之[30]。"古之诸侯，行吊于其国，

尚令巫祝先以桃茢祓除不祥[31]，然后进吊。今无故取朽秽之物，亲临观之，巫祝不先，桃茢不用，群臣不言其非，御史不举其失，臣实耻之！乞以此骨付之有司，投诸水火，永绝根本，断天下之疑，绝后代之惑，使天下之人，知大圣人之所作为，出于寻常万万也，岂不盛哉！岂不快哉！佛如有灵，能作祸祟，凡有殃咎[32]，宜加臣身，上天鉴临，臣不怨悔，无任感激恳悃之至[33]！谨奉表以闻，臣某诚惶诚恐[34]！

【注释】

①表：臣子向君主陈情言事的一种文体。

②伏：俯首，敬辞。

③夷狄：四方的少数民族，这里指外国。

④中国：指我国中原地区华夏族建立的政权。

⑤黄帝：与下文"少昊""颛顼""帝喾""帝尧""帝舜"都是上古传说中的帝王名。

⑥安乐寿考：安居乐业，健康长寿。

⑦殷汤：成汤，商朝的开国君主。

⑧太戊：商朝帝王，太庚之子。

⑨武丁：商朝帝王，小乙之子。

⑩运祚：国家的福运。

⑪宋齐梁陈元魏：指南北朝时期。

⑫三度舍身施佛：指梁武帝三次舍身佛寺出家。

⑬牲牢：祭祀宗庙用的牲畜。牢，古时以牛、羊、猪皆备为太牢，用羊和猪作祭品称少牢。

⑭侯景：字万景，擅骑射，曾起兵反梁，自立为帝，史称"侯景之乱"。

⑮台城：侯景围困梁武帝之地。
⑯高祖始受隋禅：指李唐代隋。
⑰其事：指禁佛一事。
⑱伏惟：古时臣下对君主陈述事情时所用的敬辞。
⑲恣：放纵。
⑳凤翔：县名，今属陕西。
㉑舁：抬。
㉒徇人之心：指顺从民心。
㉓焚顶烧指：指虔心事佛的行为。
㉔业次：指谋生的事业。
㉕脔：割肉。
㉖法言：指合乎礼法的言论。
㉗法服：指按礼法规定的服饰。
㉘宣政：指宣政殿。
㉙礼宾：指礼宾院。
㉚敬鬼神而远之：语出《论语·雍也》。
㉛巫祝：以歌舞娱神、能通鬼神的人，这里分别指巫官和祝官。桃茢(liè)：桃杖与扫帚，古时用以辟邪除秽。
㉜殃咎：灾殃，灾祸。
㉝无任：不胜。恳悃：诚恳。
㉞诚惶诚恐：惶恐不安，古时常用作臣子向皇帝上呈奏章时的套语。

【译文】

臣某谨言：我认为佛教不过是夷狄外族的一种法术罢了。从东汉时才开始传入中国，上古时不曾有过。从前黄帝在位一百年，活了一百一十岁；少昊在位八十年，活了一百岁；颛顼在位七十九年，活了九十八岁；帝喾在位七十年，活了一百零五岁；帝尧在位九十八年，活了一百一十八岁;帝舜和大禹都活了一百岁。这时候天下太平,老百姓安稳快乐、十分长寿,但是中国并没有佛教。这以后商汤也活了一百岁,商汤的孙子太戊在位七十五年,武丁在位五十九年,经史典籍上没有讲他们活到多大年纪,推断他们的年岁,大概都不少于一百岁。周文王活了九十七岁,周武王活了九十三岁,周穆王在位一百年,这时佛法也没有传入中国,可见他们并非因为信奉佛教才如此高寿。

东汉明帝时,才开始有佛法,然而明帝在位仅十八年而已。这之后国家暴乱和君主死亡相继发生,国家运数都不长久。宋、齐、梁、陈、北魏以后各朝,信奉佛教日渐恭谨,国家历时却更加短促。只有梁武帝在位四十八年,曾先后三次舍身佛寺出家,祭祀宗庙时不用牲畜,每天吃一顿饭,只吃点蔬菜、水果。可他后来最终被侯景逼迫,饿死在台城,国家也很快灭亡了。信奉佛教本为求得福佑,反而招来祸患。从这点看来,佛教不值得信奉,也就可以明白了。

唐高祖最初取代隋朝建国时,就主张废除佛教。当时群臣没有远见,不能深入理解先王的大道和古今合宜的事理,不能推广阐明高祖圣上的旨意,来清除信佛这种弊端,禁佛的事便终止了。我常为此感到遗憾!

想到睿智、圣明、文武全才的皇帝陛下,您神圣勇武,千百年以来,没人可比。最初即位时,就不许百姓剃度做僧人、尼姑、道士,也不允许建造寺庙、道观。我常常认为高祖废佛的志愿,一定会在陛下手中实现。如今纵然没能立即施行,怎能让它随意肆行转而更加兴盛呢?

现在听说陛下命令众僧侣到凤翔迎取佛骨,亲自登楼观看,还要把它抬到宫里,还让各个寺庙依次迎接供奉。我虽然极其愚笨,也知道陛下并没有被佛迷惑,做出这种尊崇、奉祀的事,是为了祈求福佑祥瑞。只不过是年成丰收、百姓安乐,顺从民心,要为京城的士人和普通百姓设置一个诡怪奇异的景观、一个游戏玩笑的工具罢了。哪有像您这样圣明的人,却肯信奉佛骨这种事呢?但是,百姓愚蠢蒙昧，容易被迷惑而很难明晓事理，如果看到陛下这样做，将会以为您是真心诚意信奉佛教，都会说："天子是大圣贤，尚且一心敬拜信奉佛教，老百姓是什么人，难道应该更加珍惜身体和性命吗？"于是人们灼烧头顶、手指，百十人聚为一群，脱去衣服施舍钱财，从早到晚，相互仿效，唯恐落后，老老少少奔波忙碌，放弃了他们赖以生存的职业。如果不立即加以禁阻，让佛骨历经各寺院，必将会出现砍断手臂、割下身上的肉来供养佛骨的人。这样败坏风俗的事，被四方之人笑话，不是一件小事啊！

佛祖本是夷狄外族人，和中国言语不通，衣服样式也不一样，他嘴里不说先王合乎礼法的言论，身上不穿先王根据礼法规定的服饰，不懂得君臣间的大义和父子间的亲情。假如佛祖本人至今还活着，奉他本国国君的命令来京师朝见，陛下允许并接待他，也不过是在宣政殿接见一下，在礼宾院设宴招待一次，赏给他一套衣服，派人保护他安全离境，不让他来蛊惑民众。何况他已死了很久，枯槁腐朽的骨头，是凶邪污秽的残余之物，怎么合适让它进入宫廷禁地呢！

孔子说："敬畏鬼神，但不要接近它。"古代诸侯在国中进行祭吊，尚且命令巫祝先拿桃杖扫帚清除不祥，然后才进行祭吊。现在您无缘无故拿来朽烂污秽的东西，亲自靠近观看，巫祝不先行用桃杖扫帚驱除不祥，众臣不说这样做不对，御史也不指出过失之处，我实在为此感到羞耻。请求您把这截骨头交给有关人员，把它投到水火之中去，永远断绝它的根本，灭绝天下人的疑虑和后代的迷惑，让天下百姓都知道大圣人您的所作所为高出平常人几万倍。这岂不是一件极好的事？岂不是大快人心吗？佛祖如果真有灵力，能兴起祸害邪祟，一切的灾殃，都应该降临到我的身上，老天在上面看着，我一定不抱怨悔恨。我不胜感激、诚恳之极，恭谨地献上奏表报告给陛下听。臣子韩愈惶恐不安。

【题解】

本文选自《昌黎先生集》卷三十七，是韩愈针对子女为父报仇如何判罪的问题而阐发的公文议奏。文章从经籍、法令、有司等角度，主张律法与礼经并用，不同案件区别对待、酌情商讨。该篇体现了韩愈在儒家道统立场下寻求法治与礼治灵活统一的思想观。

复　仇　状[①]

【原文】

右伏奉今月五日敕：复仇，据《礼经》，则义不同天[②]，征法令，则杀人者死。礼法二事，皆王教之端，有此异同，必资论辩，宜令都省集议闻奏者[③]。

朝议郎行尚书职方员外郎上骑都尉韩愈议曰：伏以子复父仇，见于《春秋》，见于《礼记》，又见《周官》[④]，又见诸子史不可胜数，未有非而罪之者也。最宜详于律，而律无其条，非阙文也[⑤]，盖以为不许复仇，则伤孝子之心，而乖先王之训；许复仇，则人将倚法专杀，无以禁止其端矣。夫律虽本于圣人，然执而行之者，有司也，经之所明者，制有司者也。丁宁其义于经，而深没其文于律者，其意将使法吏一断于法，而经术之士得引经而议也。《周官》曰："凡杀人而义者，令勿仇，仇之则死。"义，宜也。明杀人而不得其宜者，子得复仇也，此百姓之相仇者也。《公羊传》曰[⑥]："父不受诛，子复仇可也。"不受诛者，罪不当诛也。

诛者，上施于下之辞，非百姓之相杀者也。又《周官》曰："凡报仇仇者，告于士，杀之无罪。"言将复仇，必先言于官，则无罪也。

今陛下垂意典章，思立定制，惜有司之守，怜孝子之心，示不自专，访议群下[7]。臣愚以为复仇之名虽同，而其事各异：或百姓相仇，如《周官》所称，可议于今者；或为官吏所诛，如《公羊》所称，不可行于令者；又《周官》所称，将复仇，先告于士，则无罪者，若孤稚羸弱，抱微志而伺敌人之便[8]，恐不能自言于官，未可以为断于今也。然则杀之与赦，不可一例，宜定其制曰："凡有复父仇者，事发，具其事申尚书省，尚书省集议奏闻。酌其宜而处之，则经律无失其指矣。"谨议！

【注释】

①状：文体的一种，叙述事情的文字。

②义不同天：语出《礼记·曲礼上》："父之仇，弗与共戴天。"

③都省：尚书都省。

④《周官》：指《周礼》。

⑤阙文：原指有疑暂缺的字，后亦指有意存疑而未写出的文句。

⑥《公羊传》：《春秋公羊传》，儒家经典之一，相传为公羊高所作。与《春秋左氏传》《春秋穀梁传》合称为"春秋三传"。

⑦访议：咨询，讨论。

⑧微志：微小的志愿，这里指渺茫的复仇心愿。

【译文】

敬受本月五日皇帝的诏令："复仇，根据《礼经》所言，杀父之仇不共戴天；征引法令条律，杀人者应当处死。礼教和法律两项，都是君王教化民众的本原，然而对于复仇却存在如此的区别，势必引起众人的议论辩驳，应该召集尚书省相关臣子进行商议，然后奏报上知。"

时任朝议郎、行尚书职方员外郎、上骑都尉的韩愈奏议：臣下认为子女替父亲复仇，在《春秋》《礼记》《周礼》等经典、诸子及史书典籍中都有记载，事例不计其数，从来没有因此而遭受非议并被治罪的。复仇行为如何处置，应当在法令中详细规定，然而刑律中没有相关条例，这并非是缺漏未写，大概是考虑到不允许复仇，就会伤害孝子的心意，而且违背了先王的遗训；如果明确允许为父报仇，人们便会依仗法令擅自杀人，从而无法禁止此类事情发生。法律虽然是由圣人制定的，但执行它的却是一些司法官吏，儒家的经义是用来指导规范官吏们行事的。所以圣人在经典中一再强调复仇合于道义，但刑律条文却隐藏不载，其意就在于让官吏们依法裁决，而让尊奉儒家学说的人又能援引经典来评议。《周礼》中说："凡是杀人却合乎礼义的，被杀者之子不准寻仇，如果要报仇就要处死刑。"义，是指符合礼义的举动，它表明如果杀人却没有正当理由、不符合礼义的，被杀人的子女可以复仇。这就是百姓之间私结仇怨的情况。《公羊传》中说："如果父亲不应被杀，子女可以复仇。"不应被杀，指所犯罪行还不到被杀的地步。官吏误杀，是上位者强加给百姓的托词，并非是百姓之间的相互仇杀。《周礼》中又说："凡报仇的人，事先报告官府，再杀人则无罪。"这是说要复仇杀人，一定得先向官府登记备案，才能不因杀人而论罪。

如今陛下留意典章制度，考虑制定法令，既体察执法官员的职守，又怜悯孝子的敬心，为表明自己不独断专行，特意询求臣子百官的意见。我认为虽然都是复仇，但事情的具体情况却不同。有的是百姓之间私结仇怨而杀人，如《周礼》所说，如今还可以商议讨论；有的是被官府诛杀，如《公羊传》所指，现在是不能实行的；还有《周礼》所说的，想要复仇先向官吏告知便无罪，然而那些孤小、病弱的人，抱着渺茫的复仇之心，等待杀死仇人的便利时机，他们恐怕不能事先禀告执法官吏，所以也不能根据《周礼》来断定如今的案例。既然如此，那么对于复仇者是处以死刑还是宽赦，不可一概而论，应当做如下规定："凡是为父报仇的人，杀人事发后，应当将事件原委详细记录并上报尚书省，尚书省召集相关人员讨论商议后上奏皇帝，斟酌具体情况加以处理。这样，经义与法律就不会不合旨意了。"臣谨议。